G000089965

COLLECTION DECOUVERTE CADET

Dans la même collection

ISBN 2-07-039505-7
© Éditions Gallimard, 1983
1er dépôt légal: Septembre1983
Dépôt légal: Decembre 1986
Numéro d'édition: 39364
Imprimé par la Editoriale Libraria en Italie

LE LIVRE DE L'HIVER

Laurence Ottenheimer
Illustrations de
Danièle Bour

GALLIMARD

Ce livre appartient à
ELIZABETH

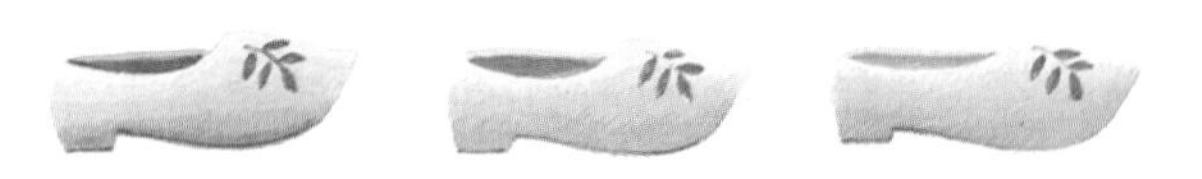

Hiver, vous n'êtes qu'un vilain !
Été est plaisant et gentil,
En témoin de Mai et d'Avril
Qui l'accompagnent soir et main.

Mais vous, Hiver, trop êtes plein
De neige, vent, pluie et grésil ;
On vous dût bannir en exil.
Sans vous flatter, je parle plain,
Hiver, vous n'êtes qu'un vilain.

Charles d'Orléans

Décembre

L'hiver commence le 22 décembre, au solstice d'hiver, et se termine le 21 mars, à l'équinoxe du printemps.

Pendant ce temps, c'est l'été dans l'hémisphère Sud.

Noël ! Noël !
Des clochetons,
Noël ! Noël !
Tous les bourdons
sautent en chœur
jusqu'à la lune.

Marie Noël

22 Début de l'hiver

23

24

A la Noël, les
jours rallongent
d'un pas de coq.

Dans les pays chrétiens, la nuit du 24 au 25 décembre est la commémoration de la naissance du Christ.

Et chaque année, depuis le Moyen Age, on a coutume de reproduire chez soi la grotte de Bethléem.

Mais on ignore en fait la véritable date de la Nativité. Dans l'Antiquité, le 25 décembre célébrait le solstice d'hiver, le moment où les jours commencent à rallonger et ce n'est qu'à partir du IVe siècle que Noël est devenu une fête religieuse. L'Eglise chrétienne remplaça le culte païen du soleil par la célébration de la naissance du Christ.

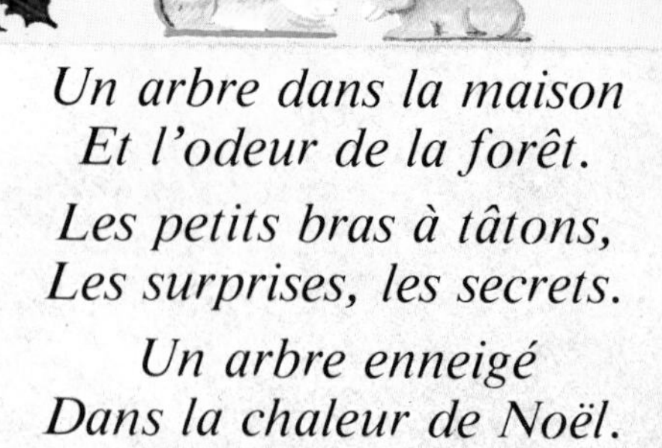

Un arbre dans la maison
Et l'odeur de la forêt.

Les petits bras à tâtons,
Les surprises, les secrets.

Un arbre enneigé
Dans la chaleur de Noël.

Un arbre étoilé
Qui brille mieux que le ciel.

Geeraert

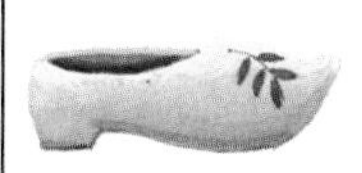

Vert Noël
Blanches Pâques.

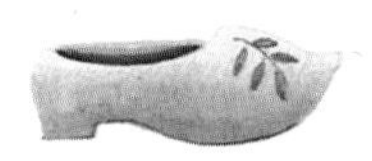

25 **Noël**

Noël ne se fête pas de la même façon, ni à la même date dans tous les pays. Le Père Noël (et son compagnon le Père Fouettard, pour les enfants pas sages) n'est pas non plus le même pour tous les enfants. Dans la plupart des pays du Nord, c'est saint Nicolas, le patron des enfants, qui apporte les cadeaux. Sa fête a lieu le 6 décembre.

Le sapin de Noël est souvent un jeune épicéa. Cette coutume de décorer un arbre qui reste toujours vert nous est venue d'Allemagne.

– Ah ! quel beau matin que ce matin des étrennes !
Chacun, pendant la nuit, avait rêvé des siennes
Dans quelque songe étrange où l'on voyait joujoux,
Bonbons habillés d'or, étincelants bijoux,
Tourbillonner, danser une danse sonore,
Puis fuir sous les rideaux, puis reparaître encore !
On s'éveillait matin, on se levait joyeux,
La lèvre affriandée, en se frottant les yeux...

Arthur Rimbaud

La légende de saint Nicolas

Ils étaient trois petits enfants
Qui s'en allaient glaner aux champs.
Ils sont allés et tant venus
Que sur le soir se sont perdus.
Ils sont allés chez le boucher :
– Boucher, voudrais-tu nous loger ?

– Entrez, entrez, petits enfants,
Y'a de la place assurément.
Ils n'étaient pas sitôt entrés
Que le boucher les a tués,
Les a coupés en p'tits morceaux
Et puis salés dans un tonneau.

Saint Nicolas au bout d'sept ans
Vint à passer dedans ce champ,
Alla frapper chez le boucher :
– Boucher, voudrais-tu me loger ?
– Entrez, entrez, saint Nicolas,
Y'a de la place, il n'en manque pas.

– Du p'tit salé, je veux avoir
Qu'il y a sept ans qu'est au saloir.
Quand le boucher entendit ça,
Bien vivement il se sauva.
– Petits enfants qui dormez là,
Je suis le grand saint Nicolas.

Le grand saint étendit trois doigts,
Les trois enfants ressuscita.
Le premier dit : « J'ai bien dormi. »
Le second dit : « Et moi aussi .»
A ajouté le plus petit :
« Je croyais être au Paradis. »

Décembre pour dire à l'année
« adieu, bonne chance ».

Alain Bosquet

26	
27	
28	
29	
30	
31	Saint Sylvestre

Voici la nouvelle année
Souriante, enrubannée
Qui pour notre destinée
Par le ciel nous est donnée.
C'est à minuit qu'elle est née.

Les ans naissent à minuit
L'un arrive, l'autre fuit.

Tristan Derême

Janvier

Au début du mois, le soleil se lève vers 7 h 45 et se couche vers 16 h 15. Pendant tout le mois, chaque jour s'allongera d'une minute environ le matin, et d'une demi-minute le soir.

Le premier jour de l'année n'a pas toujours été célébré le 1er janvier, car les calendriers ont souvent changé au cours de l'histoire. Sous Charlemagne, par exemple, l'année commençait le 1er mars, et sous la Révolution française, le premier jour de l'équinoxe d'automne.

1 **Nouvel an**

2

3

4

janvier 31
février 28/29
mars 31
avril 30
mai 31
juin 30
juillet 31
août 31
septembre 30
octobre 31
novembre 30
décembre 31

Pour savoir si un mois est long (31 jours) ou court (28, 29 ou 30 jours), on peut compter les mois sur son poing fermé. Sur la bosse, le mois est long, dans le creux, le mois est court.

Janvier pour dire à l'année
« bonjour ».

Alain Bosquet

5

6 **Epiphanie**

Trois mages venus d'orient, Gaspard, Melchior et Balthazar, suivirent une étoile qui leur indiquait la grotte de Bethléem. Ils apportaient à l'enfant Jésus de l'or, de l'encens et de la myrrhe.

En souvenir de cette histoire, on « tire les rois » : celui qui a la fève cachée dans la galette est roi. Autrefois la fève était une véritable graine, aujourd'hui c'est une petite figurine en porcelaine.

A la fête des rois
Le jour croît
D'un pas de roi.

J'aime la galette,
Savez-vous comment ?
Quand elle est bien faite
Avec du beurre dedans.
Tra la la la la la la lère (bis)
Tra la la la la la la la.

Chanson

En janvier,
ce que j'envie
C'est l'Australie.

Geeraert

	7
	8
	9
	10
	11
	12
	13
	14 Saint Maur
S'il gèle le jour de la Saint-Maur La moitié de l'hiver est dehors.	15
	16
A la Saint-Antoine Les jours augmentent de la barbe d'un moine.	17 Saint Antoine
	18
	19

Il mord Janvier
Les mains, les pieds.

Bernard Lorraine

20 Saint Sébastien	*A la Saint-Sébastien L'hiver reprend ou se casse les dents.*
21	
22 Saint Vincent	
23	
24	
25 *A la Saint-Paul L'hiver s'en va ou se recolle.*	
26	
27	
28	*Le jour de la Saint-Vincent Si le soleil luit grand comme un drapeau On aura du vin plein le tonneau.*
29	
30	
31	
Janvier ou février Comblent ou vident le grenier.	

Février

Février est le mois le plus court. Il compte 28 jours ; 29, les années bissextiles.

Au début du mois, le soleil se lève vers 8 h 20 et se couche vers 17 h 35. Les jours s'allongent en moyenne de 1 minute 3/4 chaque matin et de 1 minute 3/4 chaque soir.

Mardi gras

Il y a très longtemps, avant de commencer le carême qui durait 40 jours, on organisait trois grands jours de fête ; c'était le carnaval qui se terminait dans la nuit du Mardi gras.

Depuis le début du mois de février, tout le monde s'y préparait.

Jusqu'aux douze coups de minuit, on dansait au bal, sur les places, on défilait dans la rue, avec un masque, pour ne pas être reconnu.

Aujourd'hui encore, il existe de grands carnavals où enfants et grandes personnes se déguisent, comme à Nice, à Venise, à Bâle ou à Rio.

Mardi gras,
T'en va pas,
J'f'rai des crêpes,
J'f'rai des crêpes,
Mardi gras,
T'en va pas,
J'f'rai des crêpes
Et t'en auras.

Chanson

A la mi-carême, en carnaval,
On met un masque de velours.

Où va le masque après le bal ?
Il vole à la tombée du jour.

Oiseau de poils, oiseau sans plume,
Il sort quand l'étoile s'allume,
De son repaire de décombres.
Chauve-souris, masque de l'ombre.

Robert Desnos

Quand février
commence en lion
Il finit comme un mouton.

1

2 **Jour de la chandeleur**

C'est la fête de la lumière. Autrefois, on allumait des chandelles pour avoir beaucoup de paix et de bonheur dans sa maison.

Aujourd'hui, si l'on fait des crêpes le 2 février, c'est en souvenir d'une vieille coutume : on mangeait des crêpes qui ressemblaient à une lune, la dernière nouvelle lune de l'hiver, celle qui annonce le début du printemps. Et on faisait un vœu pour avoir de belles récoltes.

A la fête de la chandeleur,
Les jours croissent de plus d'une heure,
Mais le froid souffle avec douleur.

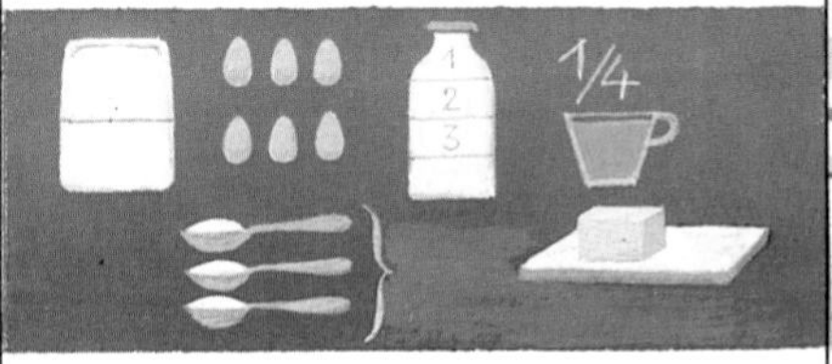

Pâte à crêpes

500 g de farine
6 œufs
3/4 de litre de lait
1/4 de litre d'eau
3 cuillerées à soupe de sucre
100 g de beurre

Dans un grand saladier, mettre la farine. Ajouter les œufs en battant avec un fouet, puis le sucre. Faire fondre lentement le beurre dans une casserole, puis ajouter le lait et l'eau. Verser le tout dans le saladier. Laisser reposer la pâte une heure.

Février pour dire à la neige
« il faut fondre ».

Alain Bosquet

3	
4	
5	
6	
7	
8	
9	
10	
11	
12	*Vers la Sainte-Eulalie* *Souvent le temps varie.*
13	
14	**Saint Valentin**

Le 14 février est la fête des amoureux. C'est la Saint-Valentin.

15

16

17

18

19 *Saint Boniface*
Brise la glace

20

21

22

23 *A la Saint-Florent*
L'hiver s'en va ou reprend.

24

25 *Fleur de février*
Ne va pas au pommier.

26

27

28

29

Février ouvre
le ciel,
Fait le pressé.

Robert-Lucien Geeraert

Mars

Au début du mois, le soleil se lève vers 7 h 30 et se couche vers 18 h 25. Les jours s'allongent de 2 minutes chaque matin et de 1 minute 3/4 chaque soir.

Si mars commence en courroux
Il finira tout doux, tout doux.

1

2

3

4

5

Mars venteux
Verger pommeux.

6

7

8

9

Averse en mars
Nous joue ses farces.

Bernard Lorraine

10

11

12

13

14

15

16

Mars
en volant passe.

Janvier très haut vient derrière.

Janvier
qui suit dans la nuit du ciel.

En bas, mars, instant fugace.

Janvier
pour mes yeux usés.

Mars
pour mes fraîches mains.

Federico Garcia Lorca

Mars pour dire
à l'oiseau migrateur
« reviens ».

Alain Bosquet

17

18

19

20

21 **Début du printemps**

Il tombe encore des grêlons
Mais on sait bien que c'est pour rire.
Quand les nuages se déchirent,
Le ciel écume de rayons.

Le vent caresse les bourgeons
Si longuement qu'il les fait luire.
Il tombe encore des grêlons,
Mais on sait bien que c'est pour rire.

Les fauvettes et les pinsons
Ont tant de choses à se dire
Que dans les jardins en délire
On oublie les premiers bourdons.

Il tombe encore des grêlons...

Maurice Carême

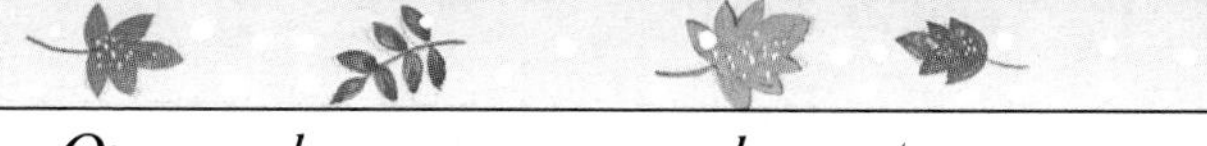

– Ouvrez, les gens, ouvrez la porte,
je frappe au seuil et à l'auvent,
ouvrez, les gens, je suis le vent
qui s'habille de feuilles mortes.

– Entrez, monsieur, entrez, le vent,
voici pour vous la cheminée
et sa niche badigeonnée ;
entrez chez nous, monsieur le vent.

– Ouvrez, les gens, je suis la pluie,
je suis la veuve en robe grise
dont la trame s'indéfinise,
dans un brouillard couleur de suie.

– Entrez, la veuve, entrez chez nous,
entrez, la froide et la livide,
les lézardes du mur humide
s'ouvrent pour vous loger chez nous.

– Levez, les gens, la barre en fer,
ouvrez, les gens, je suis la neige ;
mon monteau blanc se désagrège
sur les routes du vieil hiver.

– Entrez, la neige, entrez, la dame,
avec vos pétales de lys
et semez-les par le taudis
jusque dans l'âtre où vit la flamme.

Emile Verhaeren

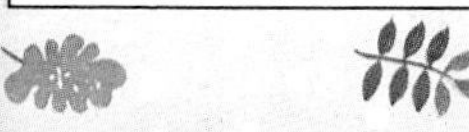

Le solstice et l'équinoxe

1. Solstice d'été (21 juin)
Dans l'hémisphère Nord, les jours sont plus longs que les nuits : c'est l'été. Dans l'hémisphère Sud, les nuits sont plus longues que les jours : c'est l'hiver.

2. Equinoxe d'automne (22 ou 23 septembre)
Dans chacun des deux hémisphères, jours et nuits sont d'égale durée.

Le jour et la nuit

Dans la journée, le soleil paraît se déplacer d'est en ouest dans le ciel. En réalité, c'est la terre qui tourne sur elle-même, en 24 heures. Chaque point de la terre est plongé tour à tour dans la lumière du soleil, c'est le jour, puis dans l'ombre, c'est la nuit.

La nuit la plus longue

Dans l'hémisphère Nord, le 22 décembre est la nuit la plus longue de l'année. C'est le solstice d'hiver.

La nuit la plus courte

Puis les jours rallongent peu à peu jusqu'au 21 juin, date où la nuit est la plus courte de l'année. C'est le solstice d'été.

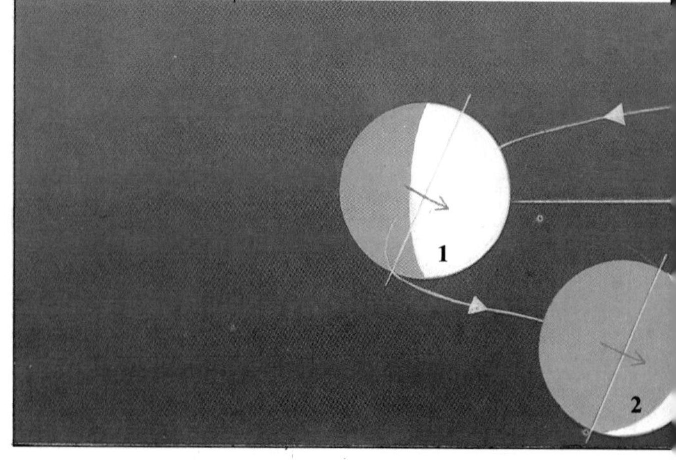

L'hiver est comme une orange ouverte
Et je suis assise au fond de l'hiver
A manger des pépins.

Denise Jallais

En 365 jours, la terre tourne aussi autour du soleil en décrivant presque un cercle : une ellipse. Elle tourne en se déplaçant sur un axe qui va du pôle Nord au pôle Sud. Cet axe étant incliné, la terre ne se présente pas toujours de la même façon face au soleil. C'est pourquoi, dans l'année, la durée de la zone éclairée (le jour) et la durée de la zone d'ombre (la nuit) change chaque 24 heures.

Le jour égal à la nuit

Le 21 ou le 22 mars et le 22 ou le 23 septembre, n'importe quel point de la terre est plongé tour à tour 12 heures dans la nuit et 12 heures dans le jour. Ce sont les équinoxes, deux moments dans l'année où le jour et la nuit ont la même durée.

3. Solstice d'hiver (22 décembre)
C'est l'hiver dans l'hémisphère Nord, l'été dans l'hémisphère Sud.

4. Equinoxe de printemps (21 ou 22 mars)
Dans chacun des deux hémisphères, jours et nuits sont d'égale durée.

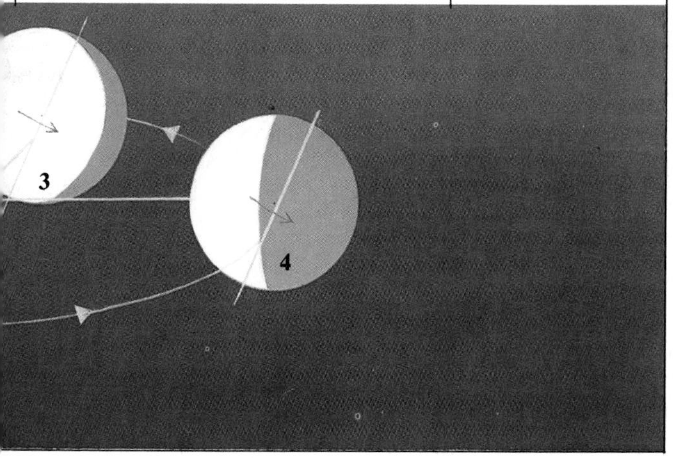

Le ciel d'hiver

Si le soir
du jour des Rois
Beaucoup
d'étoiles tu vois
Auras sécheresse
en été
Et beaucoup d'œufs
au poulailler.

1. Pégase
2. Céphée
3. Cassiopée
4. L'Etoile polaire
5. La petite Ourse
6. La grande Ourse
7. La Charrue
8. Le Dragon
9. Le Cygne

A première vue, les étoiles sont un fourmillement de points lumineux : certains paraissent minuscules, d'autres plus gros et d'autres encore brillants ou pâles. Pour se reconnaître parmi les milliers d'étoiles, les hommes les ont regroupées en constellations. Par un beau soir de nouvelle lune, sans nuages, vous pouvez essayer d'en repérer quelques-unes. Août et décembre sont les meilleurs mois pour les observer.

En regardant vers le nord

Mon auberge était à la Grande-Ourse.
Mes étoiles au ciel avaient un doux frou-frou.

Arthur Rimbaud

Voici comment apparaissent les étoiles dans la nuit du 1er décembre 23 h 30 (heure de Greenwich). Chaque nuit, les étoiles occupent cette position 4 mn plus tôt que la nuit précédente.

Dans le creux du ciel
une étoile verte
C'est tout ce qui tremble
et tout ce qui luit.

Louis Emié

Etoiles vives
Aube embrumée
Belle journée.

En regardant vers le sud

1. Les Gémeaux
2. Le Cocher
3. Le Triangle
4. Andromède
5. Le Taureau
6. La Baleine
7. Eridan
8. Orion
9. Le grand Chien

Le soleil rouge

Temps rouge le soir
Laisse bon espoir.
Temps rouge le matin
Pluie en chemin.

Souvent, l'hiver, le soleil apparaît rouge sur l'horizon.

En réalité, le soleil est blanc. Il a des rayons bleus, jaunes et rouges qui donnent une lumière blanche.

Quand les rayons bleus sont arrêtés par des petites poussières qui flottent dans l'air, le ciel nous paraît bleu et la lumière du soleil nous paraît jaune.

Mais le matin comme le soir, les rayons du soleil doivent parcourir un plus long chemin à travers l'atmosphère. Alors, une plus grande quantité de rayons bleus disparaissent et la lumière du soleil qui vient jusqu'à nous est rouge.

Le soleil rouge comme une boule
Se prépare à prendre ses quartiers d'hiver
Il s'enveloppe de brume
Il hésite à descendre
dans les sous-sols de l'horizon
où il fait son nid
Il jette un dernier coup d'œil
sur ce monde qu'il berce...
... Il se décide enfin
et rejoint ses quartiers d'hiver
jusqu'à la prochaine aube.

Raymond Queneau

Les phases de la lune

Sein rouge du soleil
et sein bleu de la lune.
Torse moitié corail
moitié argent obscur.

Federico Garcia Lorca

Quand la lune est placée entre le soleil et la terre, nous voyons sa face obscure. C'est la nouvelle lune.

Quand la terre se trouve entre le soleil et la lune, nous voyons la face de la lune entièrement éclairée. C'est la pleine lune.

Entre ces deux phases, il y a le premier quartier et le dernier quartier. Pour le savoir, voici un truc : si la lune dessine la boucle d'un P, c'est le premier quartier. Si elle dessine la boucle d'un *d,* c'est le dernier quartier.

Un mois s'écoule d'une pleine lune à l'autre. Entre la pleine lune et la nouvelle lune, l'astre prend la forme d'un croissant de plus en plus large, puis de plus en plus étroit. La nouvelle lune est invisible.

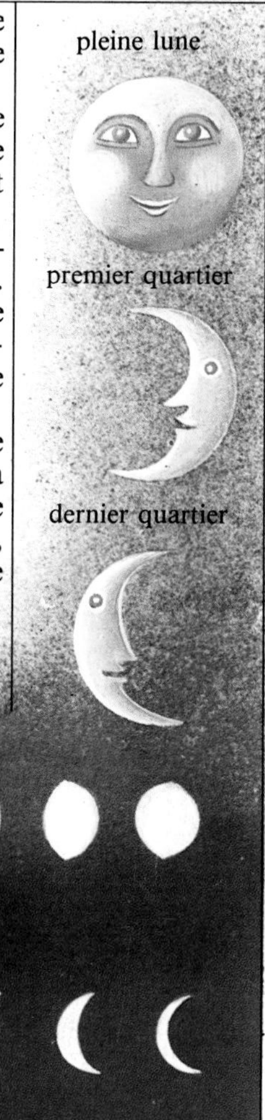

Le vent

Vent qui rit,
Vent qui pleure,
Dans la pluie,
Dans les cœurs !
Vent qui court,
Vent qui luit,
Dans les cours,
Dans la nuit ;
Vent qui geint,
Vent qui hèle
Dans les foins,
Dans les prêles ;
Dis-moi, vent
Frivolant,
A quoi sert
Que tu erres
En sifflant
Ce vieil air
Depuis tant,
Tant d'hivers ?

Maurice Carême

Pourquoi le vent souffle-t-il ?

Dans l'atmosphère, d'énormes masses d'air chaud et d'air froid se bousculent et se délogent à tour de rôle : l'air chaud veut monter et l'air froid veut descendre. Ces mouvements créent des courants qui tournent sans arrêt comme une grande roue. C'est le vent.

Quand il vient du nord, le vent apporte le froid. Quand il vent du sud, il réchauffe nos régions.

En décembre, le vent siffle
aux trous des serrures,
Il fait pirouetter les girouettes
Et claquer les volets comme des
castagnettes.

Adolphe Retté

Vent du Nord
Ours blanc !

Federico Garcia Lorca

La rose des vents

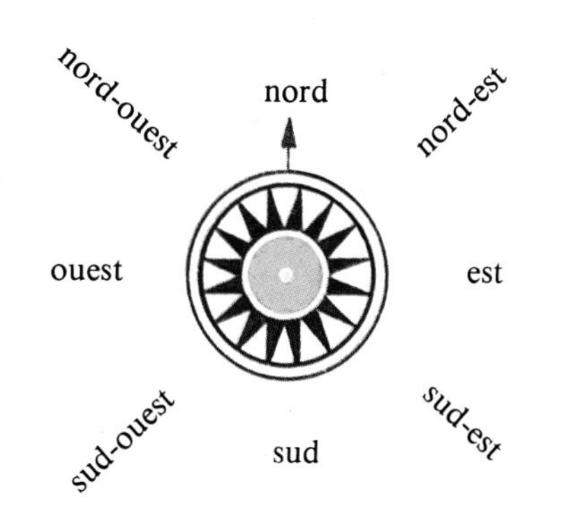

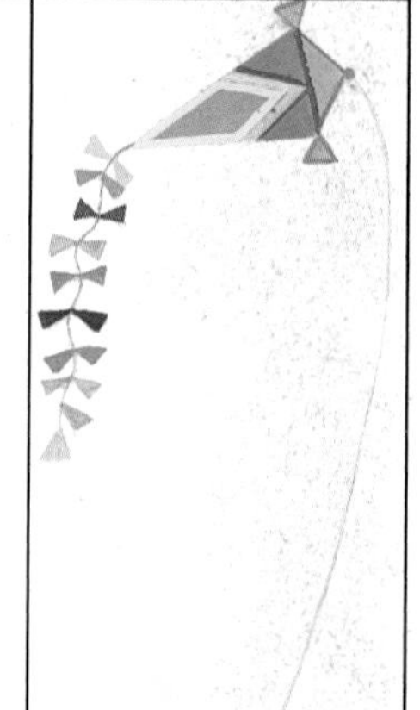

Vent de bise (qui vient du N.-E.) : temps sec et froid.
Vent de soulaire (qui vient du S.-E.) : temps plus chaud.
Vent de mer (qui vient du S.-O.) : vent plus fort et plus chaud, pluie.
Vent de galerne (qui vient du N.-O.) : giboulées.

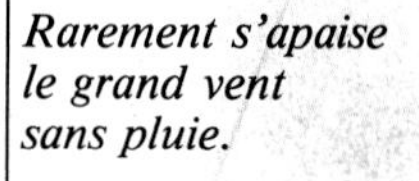

Rarement s'apaise
le grand vent
sans pluie.

Oh ! la terrible nuit pour les petits oiseaux !
Un vent glacé frissonne et court par les allées.
Eux, n'ayant plus l'asile ombragé des berceaux,
Ne peuvent pas dormir sur leurs pattes gelées.

Guy de Maupassant

Dans l'interminable
Ennui de la plaine,
La neige incertaine
Luit comme du sable.

Le ciel est de cuivre
Sans lueur aucune,
On croirait voir vivre
Et mourir la lune.

Comme des nuées
Flottent gris les chênes
Des forêts prochaines
Parmi les buées.

Le ciel est de cuivre
Sans lueur aucune.
On croirait voir vivre
Et mourir la lune.

Corneille poussive
Et vous,
les loups maigres,
Par ces bises aigres
Quoi donc
vous arrive ?

Dans l'interminable
Ennui de la plaine,
La neige incertaine
Luit comme du sable.

Paul Verlaine

La neige

Lorsque la température tombe brusquement au-dessous de zéro degré, les minuscules gouttelettes d'eau des nuages se transforment en très fines aiguilles de glace. En tombant, ces aiguilles se collent autour d'une poussière qui flotte dans l'air : grain de sable, particule de fumée ou de cendre. Des cristaux se forment, les étoiles de neige. Ces étoiles peuvent avoir les dessins géométriques les plus variés, mais elles possèdent toujours six branches. Certains cristaux ont aussi la forme de prismes.

Pour nous faire oublier le froid
Sur la neige un doigt dessina
La silhouette blonde d'un lion.

Eluard

Les flocons

En tombant sur le sol, si l'air est agité, les étoiles de neige s'accrochent les unes aux autres et forment un flocon. Les flocons sont irréguliers, petits ou gros. Mais si l'air est parfaitement calme, les étoiles de neige tombent une à une.

Un flocon de neige, c'est un peu de glace et beaucoup d'air enfermé entre les aiguilles de glace ; comme un oreiller gonflé de plumes, avec de l'air entre les plumes.

Dans la nuit de l'hiver
Galope un grand homme blanc.
C'est un bonhomme de neige
Avec une pipe en bois,
Un grand bonhomme de neige
Poursuivi par le froid.
Il arrive au village.
Voyant de la lumière
Le voilà rassuré.
Dans une petite maison
Il entre sans frapper,
Et pour se réchauffer,
S'assoit sur le poêle rouge,
Et d'un coup disparaît
Ne laissant que sa pipe
Au milieu d'une flaque d'eau,
Ne laissant que sa pipe,
Et puis son vieux chapeau...

Prévert

La neige que je prends dans la main et qui fond
Cette neige que j'adore fait des rêves et je suis un de ces rêves.

André Breton

Mon Dieu! comme ils sont beaux
Les tremblants animaux
Que le givre a fait naître
La nuit sur ma fenêtre!

Il y a un chevreuil
Qui me connaît déja;
Il soulève pour moi
Son front d'entre les feuilles.

Et quand il me regarde,
Ses grands yeux sont si doux
Que je sens mon cœur battre
Et trembler mes genoux.

Laissez-moi, ô decembre!
Ce chevreuil merveilleux.
Je resterai sans feu
Dans ma petite chambre.

Maurice Carême

Le givre

Le givre est une couche de glace très fine et blanche qui se forme lorsque le temps se refroidit brusquement. Les gouttelettes d'eau du brouillard ou des nuages se collent en minuscules cristaux de glace sur les vitres des fenêtres, les rameaux des arbres, la moindre feuille, le moindre brin d'herbe.

Tenant sa barbe dans sa main,
Le vieil Hiver ouvre son livre
Et cherche à la page du givre
Nous y voilà.

Pierre Menanteau

Les fleurs
de la gelée
Sur la vitre
étoilée
Courent
en rameaux blancs,
Et mon chat
qui grelotte
Se ramasse
en pelote
Près des tisons
croulants.

Théophile Gautier

Les légers grêlons de la grêle
Bondissent sur le bord des toits ;
Leur chute claire s'amoncelle,
Au pied des murs, en tas étroits ;

Parfois, se heurtant aux parois,
Un grain rejaillit et sautelle.
Sur les pavés mouillés et froids,
Comme une blanche sauterelle.

Le sol un instant étincelle,
Argent de ce fin gravois ;
Les légers grêlons de la grêle
Bondissent sur le bord des toits.

Auguste Angelier

La grêle

Les grêlons sont de petits morceaux de glace qui se forment à très haute altitude, là où l'air est très froid. Quand il fait chaud, avant un orage, le vent monte de terre avec tellement de force que les nuages qui flottaient à 1 000, 2 000 ou 3 000 mètres sont brusquement soulevés par des tourbillons jusqu'à 15 000 mètres d'altitude. Les gouttes d'eau des nuages s'agglutinent, gèlent et se transforment en grêlons. Plus le tourbillon de vent a emporté haut le nuage, plus les grêlons sont gros.

« De la grêle ?...
– Ah zut ! sept ans malheur !

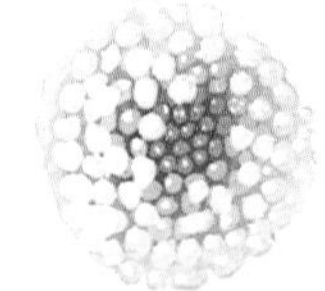

Se dit l'ange footballeur. »

Jean-Luc Moreau

Le gel

Le froid transforme en glace l'eau qui s'infiltre dans les fentes des rochers. Cette eau gelée augmente de volume et fait éclater la roche. De là est née l'expression : « il gèle à pierre fendre ».

Une goutte
d'eau perdue
s'est
infiltrée, qui,
la nuit, gèle
et fait éclater
une écaille.

Michel Butor

Stalactites ou stalagmites ?

Si l'eau gèle en tombant goutte à goutte, elle décore le bord des toits de jolis cônes de glace. Ce sont les stalactites.

Quand l'eau s'écoule sur le sol goutte à goutte et gèle, elle construit peu à peu de belles colonnes transparentes qui s'élèvent vers le ciel. Ce sont les stalagmites.

Il chante d'une voix peu sûre
Des airs vieillots et chevrotants,
Son pied glacé bat la mesure
Et la semelle en même temps.

Théophile Gautier

Comment la neige se transforme en glace

Quand la couche de neige devient épaisse ou quand la température de l'air se radoucit, les flocons se tassent sous le poids ou bien fondent. Tout l'air qui était dans les cristaux est chassé. La neige qui était légère devient de plus en plus dure, compacte. Si le froid revient, les petits cristaux tous serrés les uns contre les autres s'agglutinent et se transforment en glace.

Le gel est l'ennemi des plantes

Par grand froid, la sève des plantes gèle. Elle augmente de volume et fait éclater les petits vaisseaux dans lesquels elle circule. Alors la plante meurt.

L'étang gelé

Je regarde
Et vois que l'hiver
est là.
Les canards sauvages
Sont sur la rive de
la baie
Qui se prend d'une
fine glace.

Princesse Shikishi

La glace pèse moins lourd que l'eau. L'eau gèle d'abord en surface. Si le froid dure longtemps, la glace devient de plus en plus épaisse, et on peut alors patiner dessus.

Sous la couche de glace, l'eau reste toujours à la température de 4 degrés C, ce qui permet aux poissons de ne pas mourir de froid.

Les vases ont des fleurs de givre,
Sous la charmille aux blancs réseaux ;
Et sur la neige on voit se suivre
Les pas étoilés des oiseaux.

Théophile Gautier

Tout au fond de l'étang, les gros brochets et les perches sont un peu engourdis et restent immobiles. Ils remuent à peine la queue pour se réchauffer. Pourtant le brochet est un véritable tigre d'eau douce ; avec ses grandes mâchoires aux dents aiguës, il a un appétit énorme. C'est bien le seul moment de l'année où il laisse tranquilles les autres poissons de l'étang.

Quand elle fond,
La glace avec l'eau
Se raccommode.

Teitoku

Les empreintes dans la neige

Les animaux laissent l'empreinte de leurs pattes dans la neige ou la boue d'un sentier. En suivant leurs traces, on peut découvrir leur domicile.

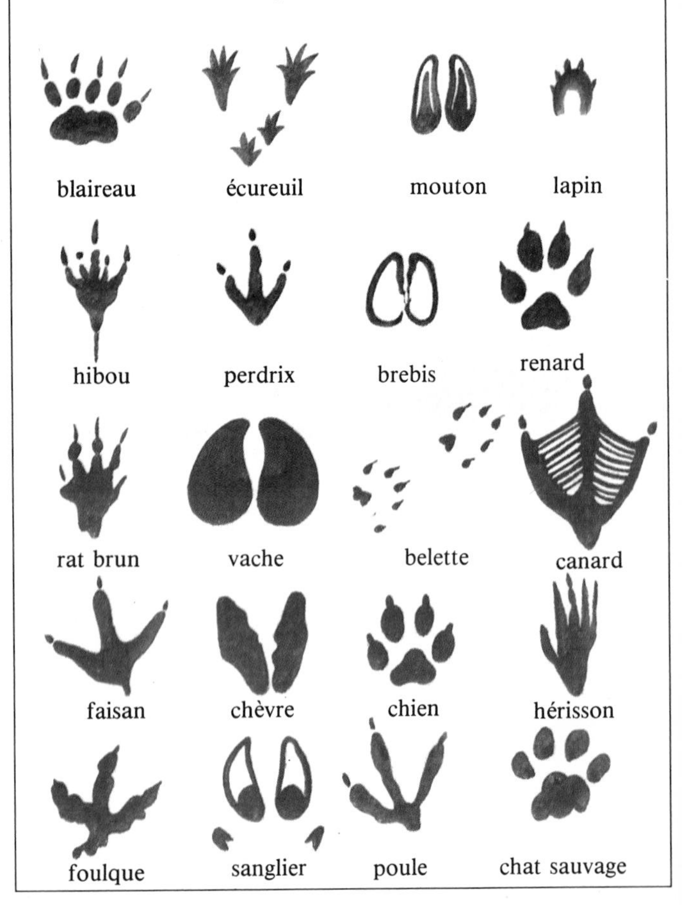

J'ai suivi tout le long, tout le long de la neige
Des étoiles de pas, j'ai suivi le cortège
Vers quel palais caché, le plus fin, le plus beau ?

Pierre Menanteau

À l'abri du froid

C'est la neige,
l'hiver blanc
sur ses semelles de neige
qui nous a surpris,
dormant.

Guy-Charles Cros

Les petits rongeurs s'isolent de l'air froid en s'abritant sous la couverture de neige. Ils y restent bien tranquilles, sans être obligés de sortir pour manger. Entre le sol et la neige, ils creusent un tunnel pour rechercher quelques racines ou pousses vertes à grignoter.

Le mulot, le campagnol, la musaraigne

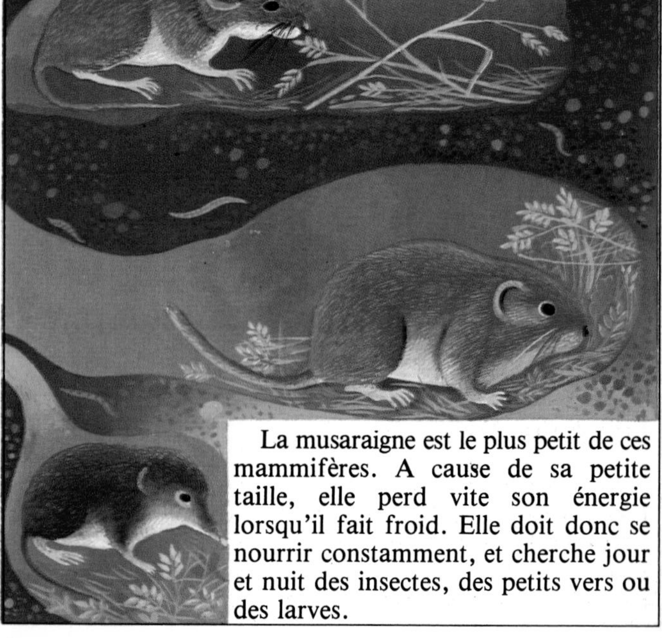

La musaraigne est le plus petit de ces mammifères. A cause de sa petite taille, elle perd vite son énergie lorsqu'il fait froid. Elle doit donc se nourrir constamment, et cherche jour et nuit des insectes, des petits vers ou des larves.

Blancs comme neige

Certains animaux changent de couleur au cours des saisons pour se confondre avec leur environnement et se protéger de leurs ennemis.

L'hermine.

Quand les jours racourcissent, l'hermine change de couleur. Son poil devient blanc comme la neige jusqu'au printemps où elle revêtira un nouveau pelage brun. Mais toute l'année, elle garde le bout de sa queue noir. Elle vit dans les Alpes et dans le nord de l'Europe.

Le lagopède

On l'appelle aussi « perdrix des neiges ». Tout blanc l'hiver, il se confond avec la neige. Même les yeux perçants des rapaces ont du mal à le repérer. L'été, ses plumes retrouvent la couleur brune des rochers. Il se creuse un véritable igloo pour se protéger du froid. Il vit dans les Alpes et les Pyrénées.

Le lièvre variable

Son pelage est blanc l'hiver, brun l'été. Pour passer la saison froide, le lièvre variable se creuse une niche dans la neige et se nourrit d'écorces et de bourgeons. Il vit dans les Alpes.

Bien au creux, bien au chaud,
Mon Gras, mon Doux,
mon Beau
Poil-Luisant, Patte-Fine.

Dors, mon petit loir, dors,
Un petit loir qui dort,
Dort et dîne,
Un petit loir qui dort,
Dîne et dort.

Voici l'hiver venu,
Les petits rats tout nus
Nichent dans la farine.

Dors, mon petit loir, dors,
Un petit loir qui dort,
Dort et dîne,
Un petit loir qui dort,
Dîne et dort.

Simone Ratel

Sommeil d'hiver

Pour faire face au froid, certains animaux hibernent. Dès que les jours raccourcissent, ils s'endorment jusqu'au printemps. Ils respirent au ralenti, la température de leur corps baisse et ils vivent sur les réserves de graisse qu'ils ont accumulées pendant l'automne.

La marmotte. C'est l'animal qui hiberne le plus longtemps. Elle s'endort huit mois, dans un profond terrier, jusqu'à la fin du mois de mars.

Le hérisson. Il se roule en boule, bien protégé par ses piquants. On l'entend même parfois ronfler.

Si on se prête à examiner attentivement le corps d'un hérisson, on s'aperçoit qu'il grouille de puces. C'est pour cela que, préventivement, la nature, toujours bien faite, l'a doté de piquants contre les démangeaisons.

Jean l'Anselme

Nourriture d’hiver

Tous les animaux n’hibernent pas. Et ceux qui sont trop gros pour passer l’hiver sous la neige se couvrent d’une fourrure épaisse et bien touffue. L’hermine, la belette, la martre ou le vison ont bien du mal à se nourrir, leur territoire de chasse est plus grand car les proies se font rares.

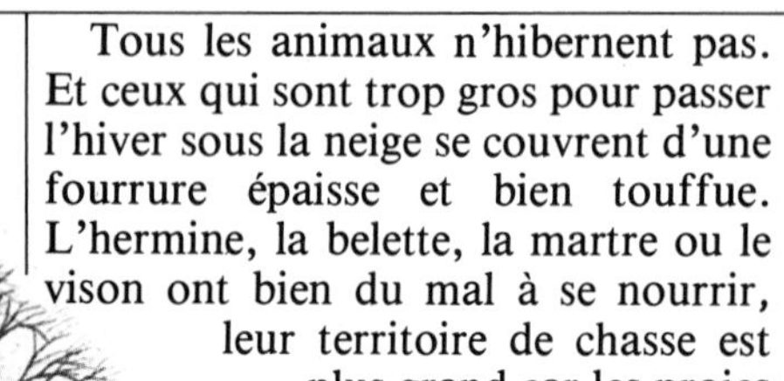

La belette chasse la nuit. Elle se faufile dans les terriers des campagnols et des mulots. Mais elle doit prendre garde aux oiseaux rapaces.

La martre bondit si rapidement sur ses proies que l’écureuil a bien du mal à lui échapper. Les nuits d’hiver, elle peut parcourir jusqu’à 25 kilomètres pour se nourrir. Le jour, elle se repose, perchée sur les hautes branches d’un arbre.

L'animal court, il passe, il meurt.
Et c'est le grand froid.
C'est le grand froid de la nuit, c'est le noir.

Poème africain

Du palais d'un jeune lapin
Dame belette, un beau matin,
S'empara : c'est une rusée.
Le maître étant absent, ce lui
fut chose aisée.
Elle porta chez lui ses pénates,
un jour
Qu'il était allé faire à l'Aurore
sa cour
Parmi le thym et la rosée.

Jean de La Fontaine

L'écureuil a fait de grandes provisions de noisettes, de cônes, de graines et de champignons. Mais quand l'hiver arrive, il a bien souvent oublié ses nombreuses cachettes.

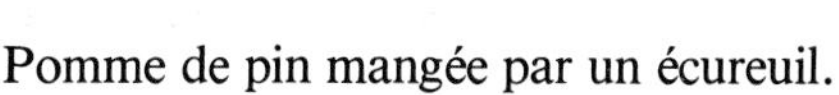

Pomme de pin mangée par un écureuil.

Les mangeurs de noisettes

L'hiver, lorsque la nourriture se fait rare, les noisettes sont très appréciées par les petits animaux. Chacun les décortique à sa manière.

L'écureuil fait un petit trou en haut des noisettes. Puis avec ses incisives du bas, il écarte la coquille qui éclate en deux. Les jeunes doivent s'entraîner avant de réussir du premier coup.

Trois noisettes dans le bois
Tout au bout d'une brindille
Dansaient la capucine vivement
au vent
En virant ainsi que filles
De roi.

Tristan Klingsor

Ecureuil, écureuil
Qui récure les noix
Tout là-haut sur le toit
De ta maison de feuilles.

Pierre Menanteau

Le campagnol ronge le dessus de la noisette.

La sittelle coince la noisette dans la fente d'un arbre et perce la coquille à petits coups de bec.

La souris grignote la noisette par le côté de la coquille.

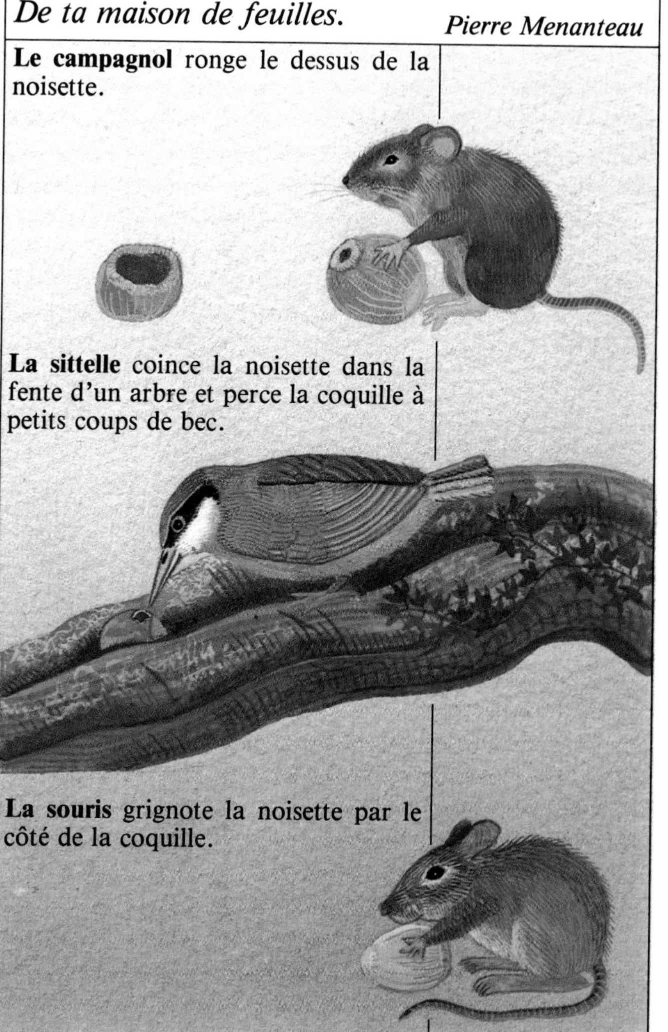

Le blaireau

En automne, le blaireau est si gros et si dodu qu'il a de la peine à courir. Il a fait ses réserves de graisse qui vont lui permettre de rester dans son terrier tout l'hiver sans manger. Il ne sortira que de temps en temps pour aller boire. Au printemps, il sera quand même un peu amaigri.

Le voilà roulé en boule bien confortablement sur un lit de mousse moelleuse et d'herbes sèches.

Pour faire ma barbe
Je veux un blaireau,
Graine de rhubarbe,
Graine de poireau.

Par mes poils de barbe !
S'écrie le blaireau,
Graine de rhubarbe,
Graine de poireau,

Tu feras ta barbe
Avec un poireau,
Graine de rhubarbe,
T'auras pas ma peau.

Robert Desnos

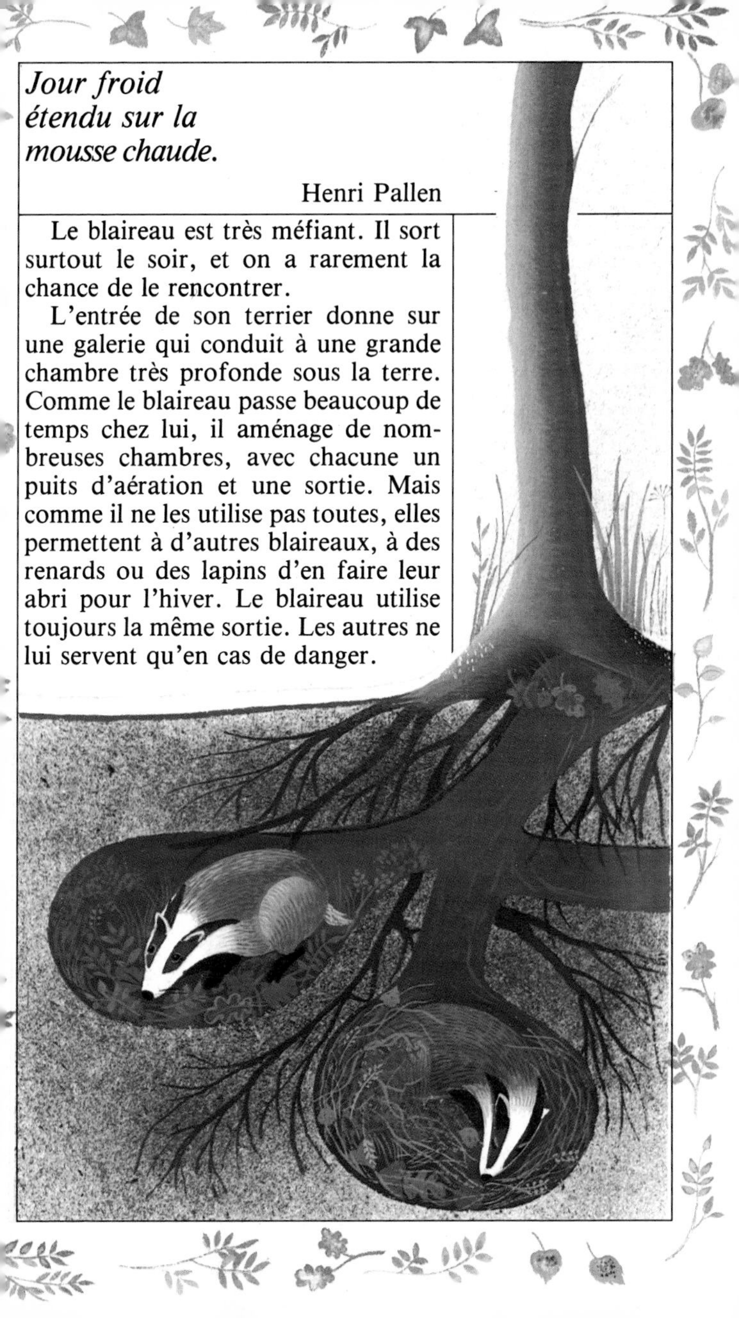

Jour froid
étendu sur la
mousse chaude.

Henri Pallen

Le blaireau est très méfiant. Il sort surtout le soir, et on a rarement la chance de le rencontrer.

L'entrée de son terrier donne sur une galerie qui conduit à une grande chambre très profonde sous la terre. Comme le blaireau passe beaucoup de temps chez lui, il aménage de nombreuses chambres, avec chacune un puits d'aération et une sortie. Mais comme il ne les utilise pas toutes, elles permettent à d'autres blaireaux, à des renards ou des lapins d'en faire leur abri pour l'hiver. Le blaireau utilise toujours la même sortie. Les autres ne lui servent qu'en cas de danger.

La taupe

Les taupes poussent
Le dégel n'est pas loin.

La taupe passe une grande partie de sa vie sous terre. Tout au long de l'année, elle creuse des galeries avec ses pattes en forme de pelle et rejette la terre à la surface. L'hiver, il lui faut creuser profondément pour trouver les vers de terre qui s'enfoncent loin dans le sol. Alors elle en fait des

De cécité je fais loi
Dans les galeries du songe
Je creuse pour rejoindre
Mais quoi
Puisque même la lumière est minée ?

Dobzynski

réserves dès l'automne, dans une de ses chambres souterraines. Pour les conserver vivants (c'est ainsi qu'elle les préfère) sans qu'ils ne lui échappent, elle a inventé un système très cruel : elle broie la tête de ses victimes qui continuent à vivre mais qui ne peuvent plus se diriger.

La cigale, ayant chanté
Tout l'été,
Se trouva fort dépourvue
Quand la bise fut venue :
Pas un seul petit morceau
De mouche ou de vermisseau.
Elle alla crier famine
Chez la fourmi sa voisine,
La priant de lui prêter
Quelque pain pour subsister
Jusqu'à la saison nouvelle ;
« Je vous paierai, lui dit-elle,
Avant l'août, foi d'animal,
Intérêt et principal. »
La fourmi n'est pas prêteuse ;
C'est là son moindre défaut :
« Que faisiez-vous au temps chaud ?
Dit-elle à cette emprunteuse.
– Nuit et jour, à tout venant,
Je chantais, ne vous déplaise.
– Vous chantiez ! j'en suis fort aise ;
Hé bien ! dansez maintenant. »

Jean de La Fontaine

Les insectes

L'hiver, la plupart des insectes vivent au ralenti. Ils s'enterrent ou se calfeutrent dans un cocon en attendant le printemps.

Les abeilles

Elles se tiennent bien en grappe à l'intérieur de la ruche. L'apiculteur veille à leur laisser suffisamment de miel pour leur permettre de se nourrir. S'il a retiré tout le miel, il leur donne un sirop d'eau et de sucre. Pour que les abeilles soient bien à l'abri du froid, il calfeutre les ruches avec de la paille et des feuilles.

Le doryphore

Ce petit insecte est le grand ennemi des cultivateurs de pommes de terre. Il est réglé comme une horloge : dès qu'il y a moins de quinze heures de lumière par jour, il se nourrit goulûment de feuilles de pommes de terre, puis il s'enterre et s'endort.

Les chenilles processionnaires

Pour passer l'hiver, les larves des chenilles ont construit des nids de soie blanche à la cime des pins. Elles se nourrissent des aiguilles de pin. Au printemps, elles sortent de leur cocon et descendent en longues files jusqu'au sol.

La coccinelle

Elle s'endort tout l'hiver sous l'écorce d'un arbre, dans le recoin d'une fenêtre.

Les oiseaux de nuit

La douceur,
c'est un vol de chouette,
sous les taillis,
au crépuscule...

André Hardelet

La chouette hulotte

Ses plumes garnies de duvet amortissent le bruit de ses battements d'ailes. Son vol silencieux lui permet d'entendre le plus petit bruit de ses victimes et de se précipiter sur elles sans qu'elles s'en aperçoivent.

L'effraie

C'est la plus belle des chouettes. Son plumage clair est tacheté de gris. Elle chasse la nuit, campagnols, musaraignes ou gros insectes, même dans l'obscurité la plus complète. Le jour, elle niche dans une maison abandonnée, une grange ou un clocher.

Le clair cristal des prunelles des hiboux.

Patrice de la Tour du Pin

Le hibou moyen duc

Ce rapace au pelage brun et fauve se nourrit comme la chouette de petits rongeurs. On peut trouver, à l'endroit où il s'est perché, des pelotes brunes, compactes, pleines de petits os et de fourrure. C'est ce qu'il a digéré et qu'il a recraché.

Le hibou ne peut pas tourner les yeux pour regarder à droite et à gauche. Mais sa tête peut faire presque un tour complet et il peut voir dans tous les sens sans bouger le reste du corps.

Un jour,
monsieur le hibou
Qui n'était
qu'un vieux filou,
Ayant acheté
des poux
N'avait donné
aucun sou.
Hou ! Hou !

Gilbert Saint-Pré

Qu'ils sont jolis, les moineaux francs,
Les effrontés, que je les aime !
Peuple insoucieux et bohème
Ils sont crânes et conquérants !

Petits, ils se moquent des grands.
Ils nargueraient l'aigle lui-même,
Qu'ils sont jolis, les moineaux francs !

Sous les vastes cieux transparents
Que la nuit d'étoiles parsème,
Le rossignol dit son poème.
Gavroches au soleil errants,
Qu'ils sont jolis, les moineaux francs !

Albert Glatigny

Les moineaux

Pour se protéger du froid, les moineaux, comme les autres oiseaux, ébouriffent et gonflent leurs plumes. Cela crée une couche d'air entre la peau et le froid du dehors. L'air est un très bon isolant pour garder la chaleur du corps.

Le moineau est facilement reconnaissable avec sa cravate noire juste au-dessous de son bec. La moinelle est grise.

Moineaux,
moinelles,
moinillons
Sur mon balcon
Pour vous
j'ai mis la mie,
les miettes,
Moineaux,
moinettes.

J. Charpentreau

Les geais, les pies glapissent aigrement et font grincer leur crécelle en volant d'un arbre à un autre, pour chercher un abri contre les étoiles glacées qui tombent sur leur plumage ; les moineaux, blottis sous les feuilles des lierres, le long des vieux murs, poussent des piaillements de détresse. Ils ont froid, ils ont faim, et l'avenir de leur déjeuner les inquiète...

Théophile Gautier

Les oiseaux ont faim

Pour les oiseaux qui ne sont pas partis passer l'hiver dans les pays plus chauds, la nourriture est rare.

le merle

Pie dans la ferme,
Neige à court terme.

le rouge-gorge

Rouge-gorge
enrhumé.
Sur sa poitrine
De la teinture
d'iode.

Marc-Adolphe Guégan

le corbeau

Venue manger dans ma paume une noix
La fugace mésange
Pèse si peu sur mes doigts :
Une craintive seconde, le poids
De l'âme libre ou d'un ange.

Frédéric Kiesel

Laissez-leur de la mie de pain, des graines, un peu de graisse, sur le rebord de la fenêtre.

La pie
sur son arbre
l'hiver
la regarde
et rit
de se voir
comme elle
noir et blanc.

Raoul Bécousse

L'arbre que l'hiver creuse et qu'il délabre
De terre à ciel est un chemin battu,
Avril aux tendres mains quand viendras-tu,
Quand, rallumer tout le grand candélabre ?

Lanza del Vasto

Planter un arbre

C'est en hiver que l'on plante les arbres, lorsque la sève ne circule pas.

A la Sainte-Catherine
(25 novembre)
Tout bois prend racine.

Voici comment il faut s'y prendre :

1

Creuser un trou beaucoup plus grand que les racines. Enfoncer un tuteur au fond du trou.

2

Couper les racines abîmées et placer l'arbre près du tuteur en étalant bien les racines.

3

Boucher le trou en tassant doucement avec le pied chaque nouvelle couche de terre, sans abîmer les racines.

4

Bien arroser l'arbre, car il a besoin de beaucoup d'humidité pour démarrer.

5

Enfin, fixer l'arbre au tuteur avec une ficelle.

Verdoyante fumée
Demain je serai l'arbre
Et pour les oiseaux froids
La cage fortunée.

René-Guy Cadou

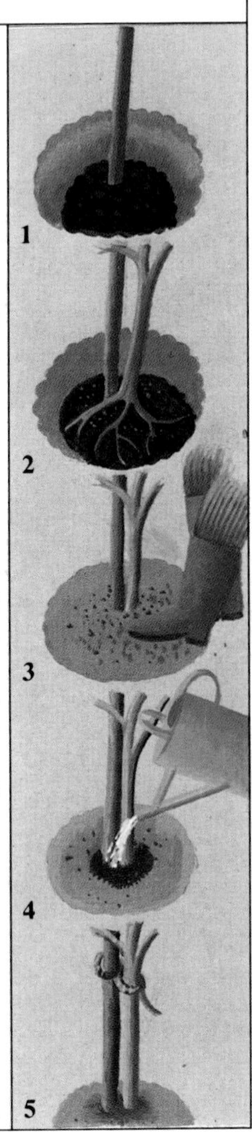

L'hiver s'est abattu sur toute floraison.
Des arbres dépouillés dressent à l'horizon
Leurs squelettes blanchis ainsi que des fantômes.

Guy de Maupassant

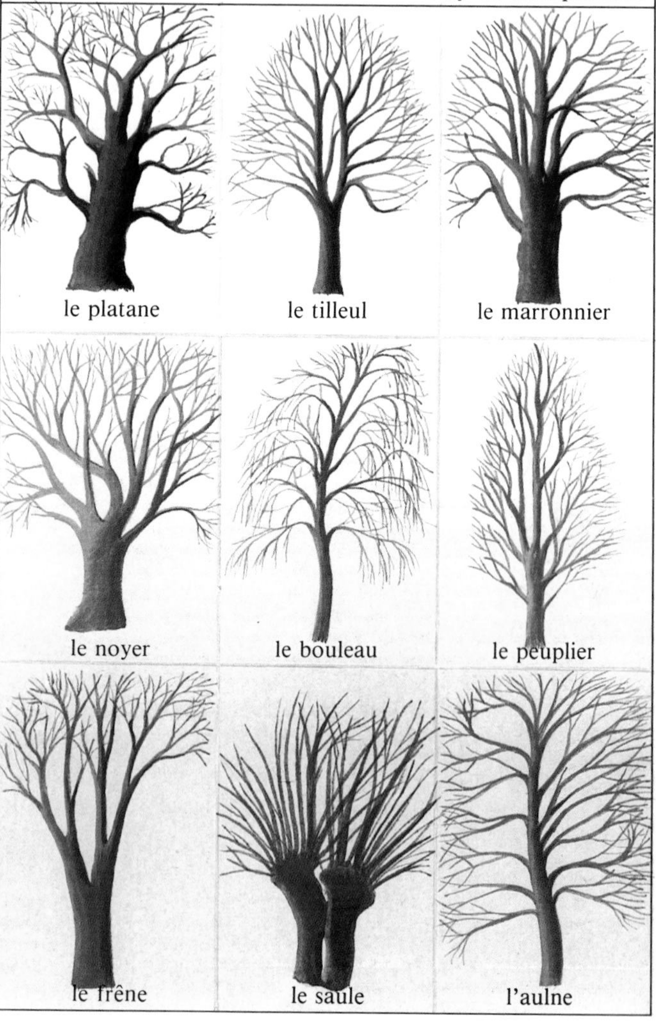

Les arbres effeuillés

Les arbres ont perdu leurs feuilles. Mais leurs racines ne restent pas inactives. Elles puisent l'eau du sol dès janvier ou février pour faire provision de toute l'énergie dont les arbres auront besoin au printemps.

le chêne

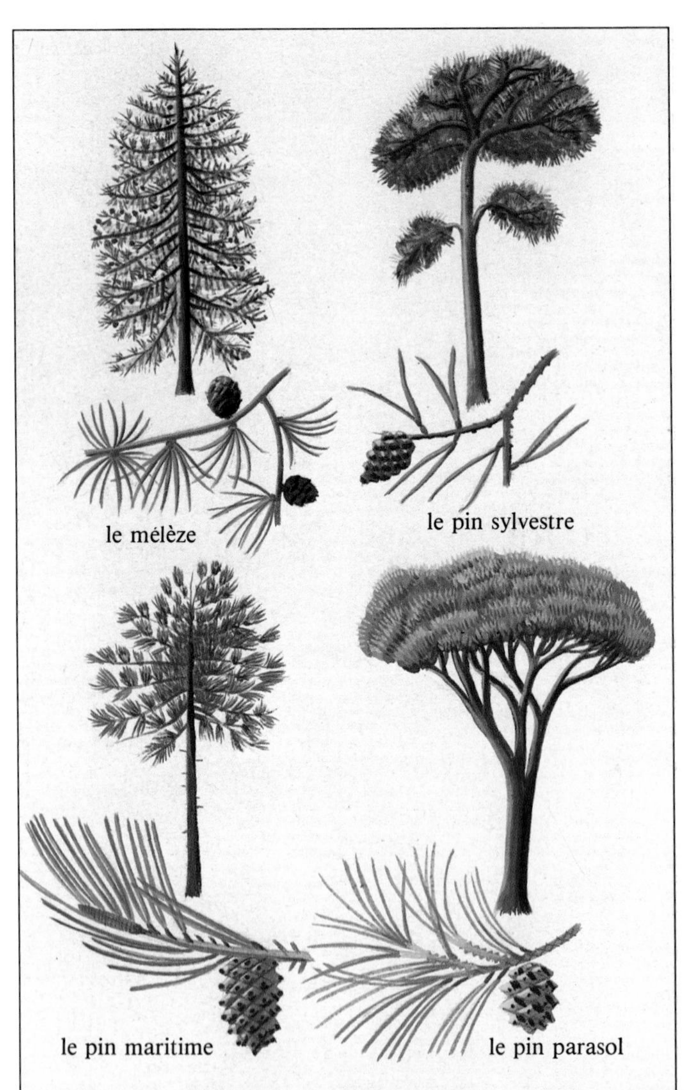

Les arbres ont tous perdu leurs feuilles, sauf les conifères qui restent verts toute l'année. On les appelle ainsi car leurs fruits ont la forme d'un cône.

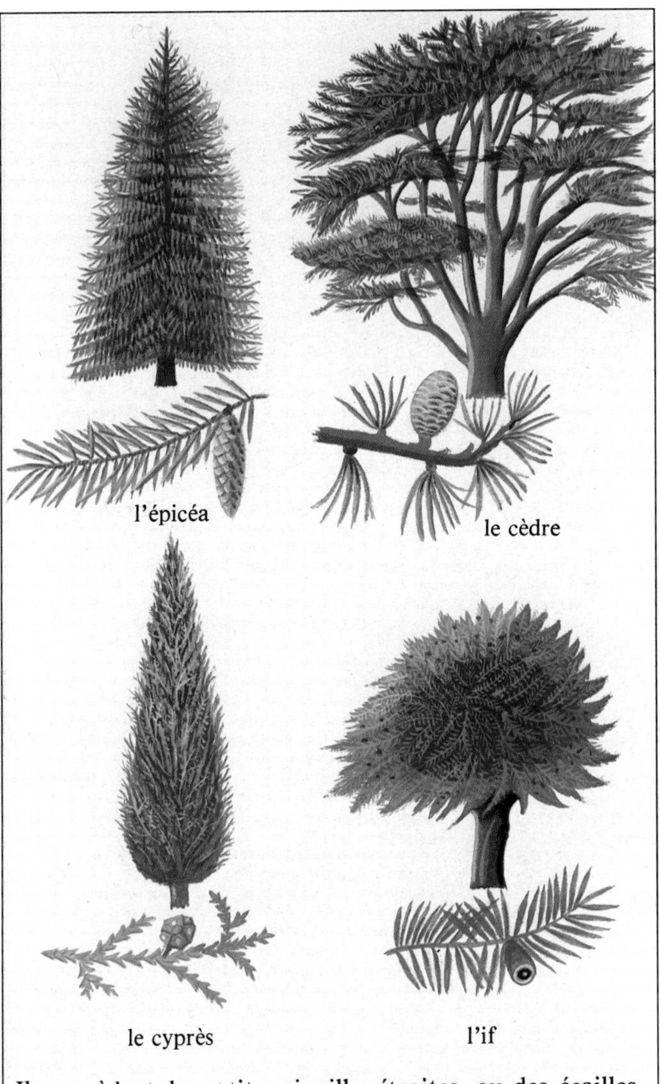

Ils possèdent des petites aiguilles étroites, ou des écailles. Elles sont recouvertes de cire ou de résine pour résister au froid et au gel.

Comme c'est beau
ce qu'on peut voir comme ça
à travers le sable à travers la terre
à travers les carreaux
tenez regardez par exemple
comme c'est beau
ce bûcheron
là-bas au loin
qui abat un arbre
pour faire des planches
pour le menuisier
qui doit faire un grand lit
pour la petite marchande de fleurs
qui va se marier
avec l'allumeur de réverbères
qui allume tous les soirs les lumières
pour que le cordonnier puisse voir clair
en réparant les souliers du cireur
qui brosse ceux du rémouleur
qui affûte les ciseaux du coiffeur
qui coupe le cheveu au marchand
d'oiseaux
qui donne ses oiseaux à tout le monde
pour que tout le monde soit de bonne
humeur.

Jacques Prévert

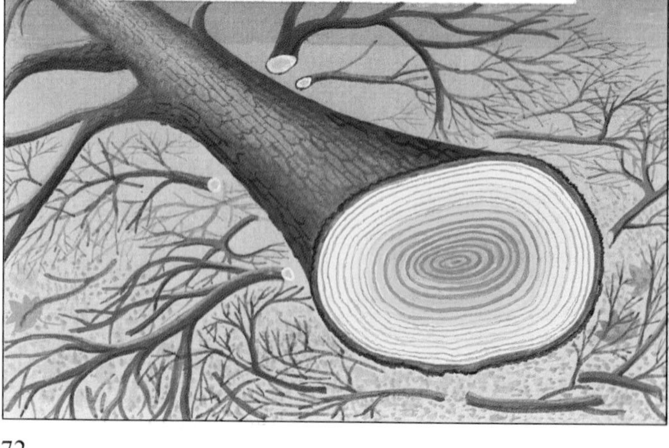

Les bûcherons

L'arbre tombe toujours du côté où il penche.

Proverbe

Autrefois, dans la forêt, on entendait les coups réguliers de la cognée, la lourde hache du bûcheron. Aujourd'hui, les bûcherons travaillent à la scie tronçonneuse, mais c'est toujours le même brusque et long craquement du tronc quand il s'arrache de la souche et s'écrase sur le sol dans un fracas de branches. Les grands troncs attendent au bord du chemin leur départ vers la scierie. D'autres arbres prendront la place des disparus.

L'élagage

Taille au jour
de Saint-Aubin
Pour avoir
de gros raisins.

Avant le réveil du printemps, on taille les arbres pour supprimer les vieilles branches et permettre aux jeunes branches de devenir plus vigoureuses et de grandir plus vite. Mais il faut laisser suffisamment de bourgeons à fleur qui donneront les fruits, et de bourgeons à bois d'où partiront de nouveaux rameaux.

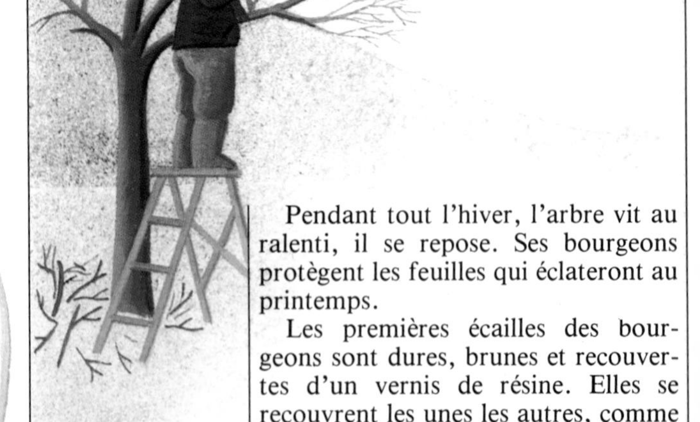

Pendant tout l'hiver, l'arbre vit au ralenti, il se repose. Ses bourgeons protègent les feuilles qui éclateront au printemps.

Les premières écailles des bourgeons sont dures, brunes et recouvertes d'un vernis de résine. Elles se recouvrent les unes les autres, comme les tuiles d'un toit, et forment une carapace imperméable qui protège les bourgeons de la pluie. A l'intérieur, il y a d'autres écailles, plus petites et

Taille tôt, taille tard
Taille toujours en mars.

vertes. Et un duvet chaud comme de la laine qui protège la future fleur à l'abri du froid.

Au cœur du bourgeon, sur une petite tige, des feuilles, des fleurs en bouton attendent le retour du printemps.

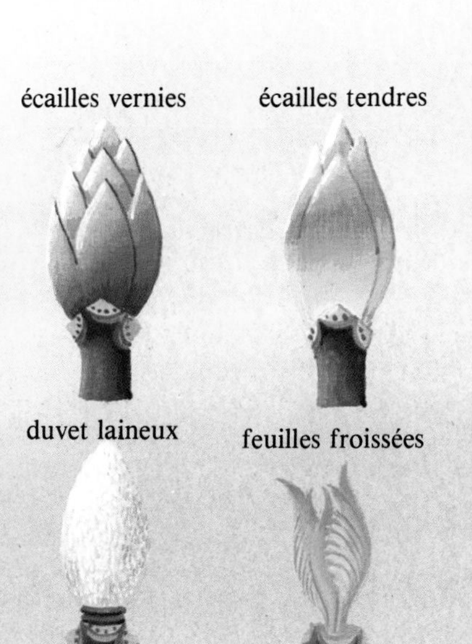

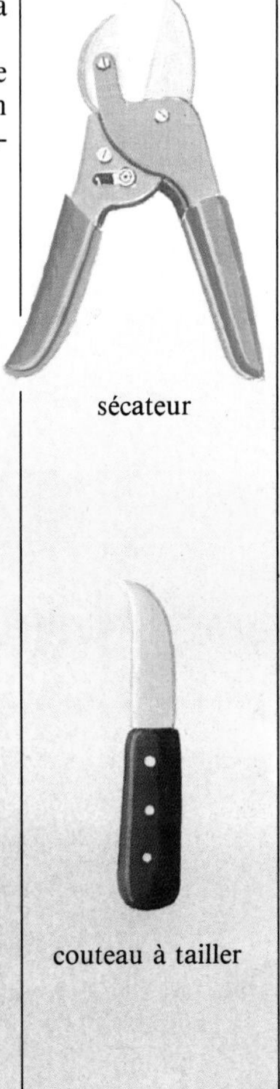

Le lierre

Son feuillage aigu, vert sombre, mouillé de ténèbres, porte à la saison des fleurs glauques en ombelles, des baies noirâtres, joie des merles et des grives. (...)
Il rampe pour monter et s'agripper avec ses mille pattes griffues ; il s'avance insensiblement, jamais ne recule, gagne sans cesse, prend le rocher, le pénètre et le grignote. (...)
Il s'applique, devient énorme. (...)
C'est le reptile vert et noir qui tourne et glisse à l'abri d'un feuillage en écailles. Tout d'abord, il ressemble au caressant lézard sur la peau fraîche et lisse d'un jeune arbre, mais il multiplie en secret ses étreintes, amasse à longueur de temps la force audacieuse d'un monstre. (...)
Qui n'a pas vu dans une forêt solitaire un vieux chêne qu'il a patiemment saisi, léchant ses racines, coulant aux rainures de l'écorce et roulant ses nœuds au long des branches maîtresses ? Il resserre bien longtemps ses anneaux pour l'étrangler en riant des pieds à la cime, énorme serpent silencieux et gorgé, masqué de feuilles ; et, l'ayant tué, il resplendit toujours au soleil.

Charles Sylvestre

Le lichen et la mousse

Les lichens sont des plantes bien étranges, à la fois algues et champignons. Ils s'accrochent aux troncs des arbres, aux rochers de granit et réussissent à vivre là où aucune autre végétation ne pourrait pousser. Ils sont très résistants au froid et à la sécheresse.

La mousse a des tiges très courtes et des feuilles minuscules qui ressemblent à de la fourrure. Elle s'accroche au sol par de petites racines et croissent en s'étalant. Comme une éponge, la mousse se gorge d'eau dès qu'il pleut.

Il existe des milliers d'espèces différentes de mousses, vivant sur les sols les plus humides aux rochers les plus secs.

Le chaume et la mousse
Verdissent le toit ;
La colombe y glousse
L'hirondelle y boit ;
Le bras d'un platane
Et le lierre épais
Couvrent la cabane
D'une ombre de paix.

Alfonse de Lamartine

Courez à la forêt
prochaine,
Courez à l'enclos des fermiers ;

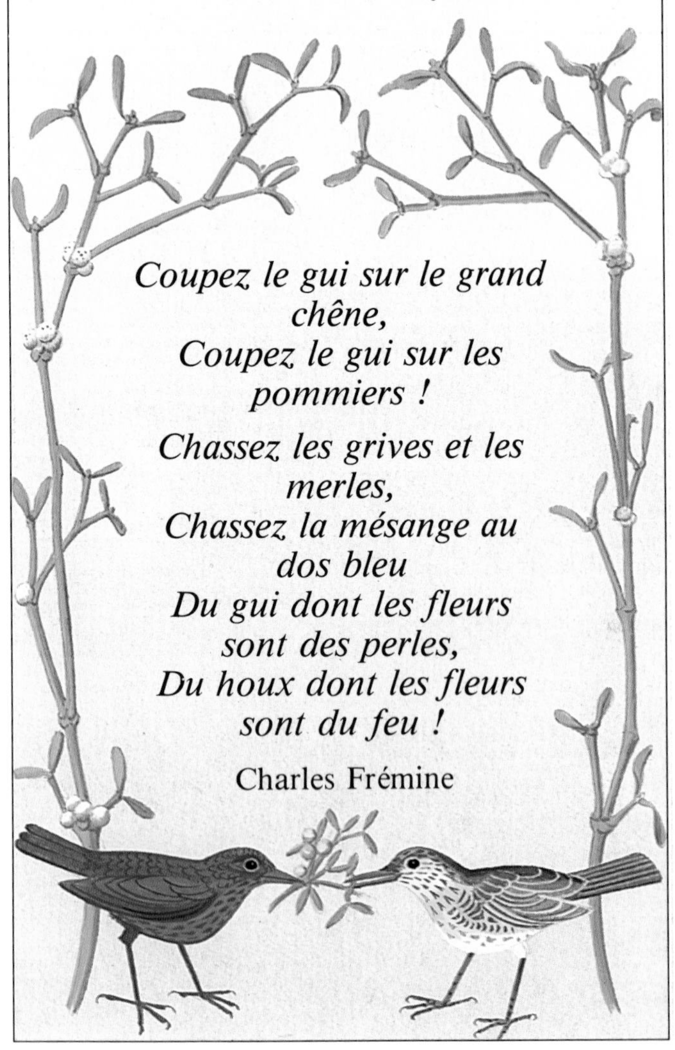

Coupez le gui sur le grand
chêne,
Coupez le gui sur les
pommiers !

Chassez les grives et les
merles,
Chassez la mésange au
dos bleu
Du gui dont les fleurs
sont des perles,
Du houx dont les fleurs
sont du feu !

Charles Frémine

Le houx et le gui

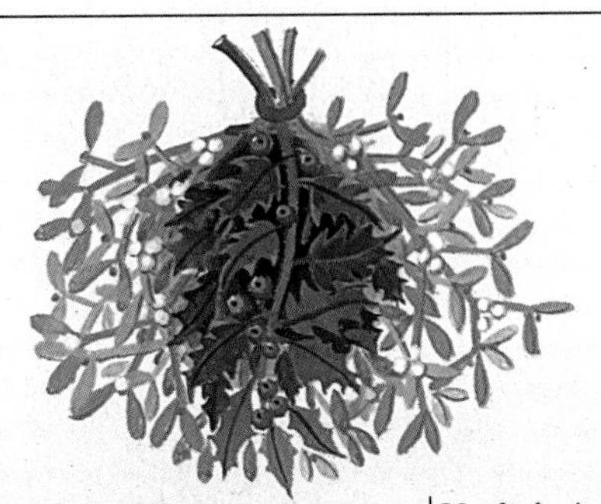

Le houx aux feuilles coriaces et piquantes, vit dans les sous-bois humides. En automne et en hiver, il porte des petits fruits rouges. N'y touchez pas, ils sont vénéneux.

Le gui. Chez les Gaulois, le gui était sacré. Les druides le coupaient avec une serpe d'or. Aujourd'hui, on a coutume de se souhaiter une bonne année sous une boule de gui.

Le gui est un parasite pour les arbres : il pompe leur sève sous l'écorce et les fait mourir.

Un bel oiseau
me montre
la lumière
Elle est dans ses yeux,
bien en vue
Il chante
sur une boule de gui
Au milieu du soleil.

Paul Eluard

Le calendrier des légumes

Avec tout les pleurs
de la terre,
On a fabriqué
l'oignon.

Charles Dobzynski

Tout n'est pas mort dans le jardin. Voici sur ce calendrier les légumes qu'on peut récolter, les graines à semer ou les semis qu'il faut repiquer. Les semis sont des petites pousses qui ont démarré bien au chaud sous une

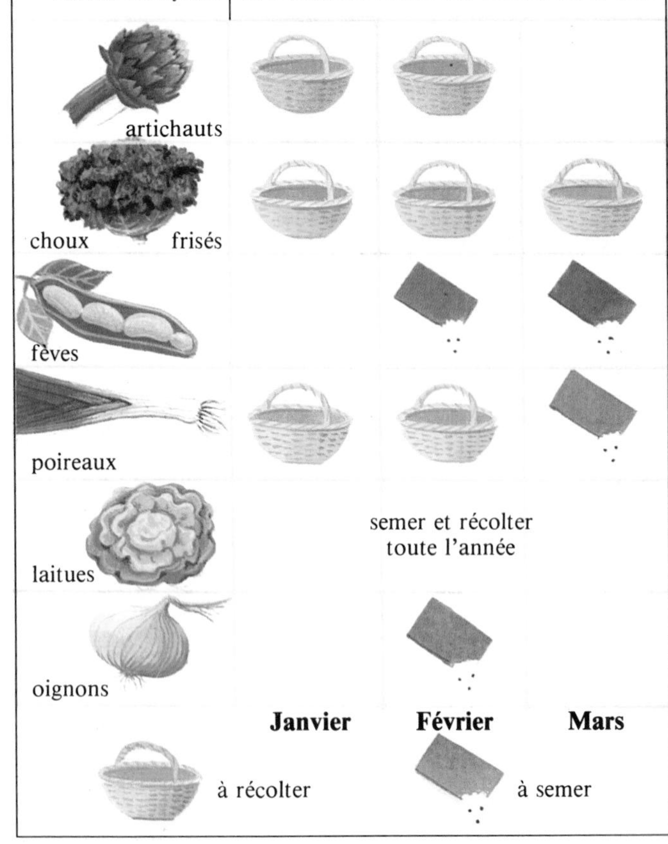

Savez-vous planter les choux
A la mode, à la mode,
Savez-vous planter les choux,
A la mode de chez nous ?

Chanson

serre, et qu'on replante dans la terre quand elles sont plus résistantes.

Les dates peuvent varier de quelques semaines. Cela dépend si on habite une région chaude ou une région un peu plus froide.

Les oignons deviennent gros S'il neige sur leur dos.

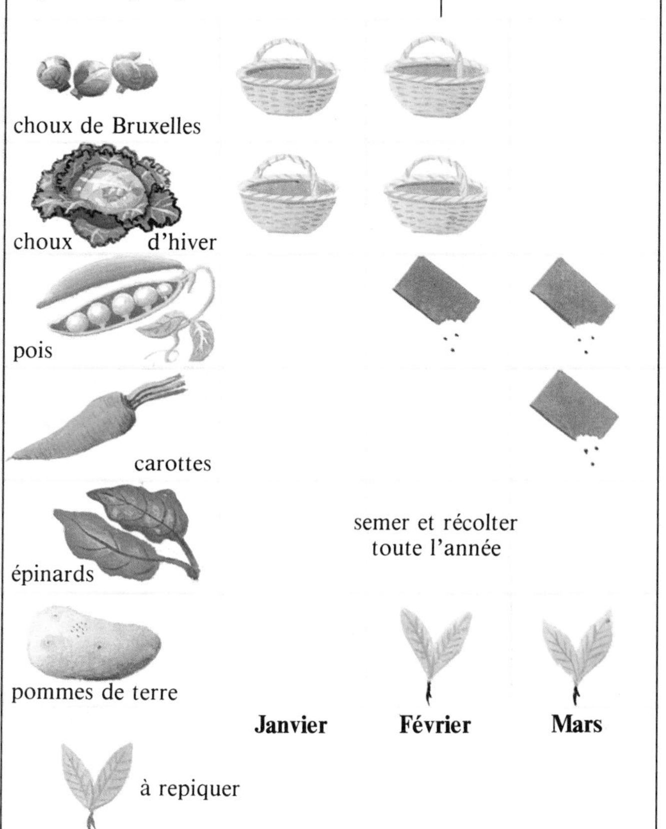

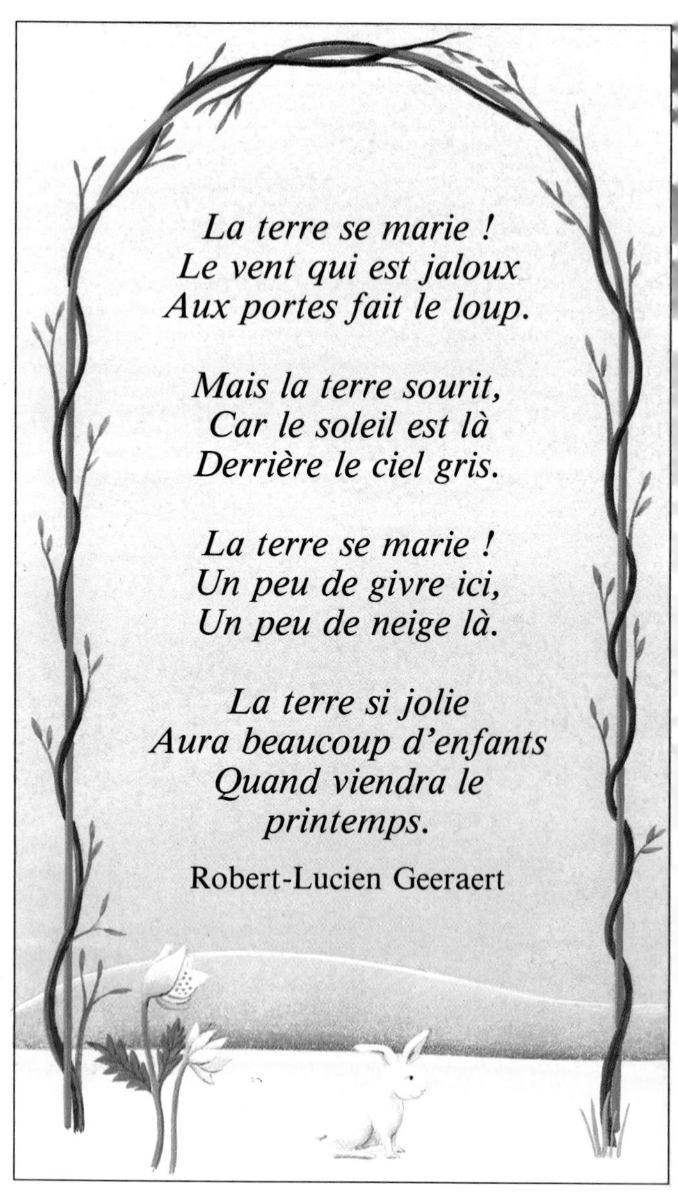

La terre se marie !
Le vent qui est jaloux
Aux portes fait le loup.

Mais la terre sourit,
Car le soleil est là
Derrière le ciel gris.

La terre se marie !
Un peu de givre ici,
Un peu de neige là.

La terre si jolie
Aura beaucoup d'enfants
Quand viendra le
printemps.

Robert-Lucien Geeraert

Les champs sous la neige

La couche de neige est un isolant qui empêche la terre de geler en profondeur. Elle protège les petites pousses qui pointent à peine hors du sol. La vie continue.

Le blé pousse lentement, en cachette. Mais les racines s'étendent de plus en plus et, au printemps, les plantes bien enracinées pourront mieux pomper l'eau et les nourritures de la terre. Alors les plantes pousseront très vite.

Pour que l'année aille
comme il se doit,
Il faut que les champs
s'enneigent par deux fois.

Neige
Nourrissage
de la terre
grain
après
grain.

Olivier Perrelet

Les fleurs de l'hiver

*La Rose de Noël
triste et sans fleur
toute l'année...
Mais quand vient
la Noël... elle sort
du gris de l'hiver et
des feuilles sombres comme autant
de petites bougies
allumées.*

Marie Noël

La neige a disparu , les premières fleurs montrent le bout de leurs pétales.

Les roses de Noël

Elles fleurissent vers Noël, dans les endroits ombragés, à l'abri du gel.

Les perce-neige

Leur nom est un peu exagéré car elles ne grandissent qu'après la fonte des neiges. Mais que de longs et lents efforts il leur a fallu pour sortir de terre ! Tout l'été, les bulbes se sont remplis d'eau. Et puis les voilà qui crèvent la carapace glacée du sol. Leurs fleurs donnent la première nourriture aux abeilles.

les roses de Noël

Les crocus éclos sur le pré
sont les yeux dorés de la terre
Guettant la venue du Printemps.

Jean Orizet

Le forsythia

Les fleurs s'ouvrent avant les feuilles. Au soleil, c'est un énorme bouquet d'or sans feuilles.

Les crocus

Les bulbes sont en terre depuis l'automne. Au premier dégel, ils s'ouvrent et ils meurent quand la plante fleurit. Mais d'autres petits bulbes entourent celui qui est en train de fleurir. Et dans trois ans ils seront suffisamment forts pour donner une nouvelle fleur.

Du perce-neige,
la blanche fleur,
est la violette
de la chandeleur.

le forsythia

les perce-neige

les crocus

Quand le printemps renaîtra
Le soleil s'élèvera,
La forêt reverdira
Et l'herbette poussera.

Quand le printemps renaîtra
La violette sortira
Le coqu'licot s'ouvrira
Et le bleuet fleurira.

Quand le printemps renaîtra
Le papillon volera,
L'hirondelle reviendra
Et l'abeille butinera.

Chant populaire d'Ecosse

Le premier papillon

Au mois de mars, dès les premiers jours chauds du printemps, un petit papillon vole çà et là. C'est le citron. Il est le seul de son espèce à cette époque de l'année. Depuis l'automne, il est caché sous les feuilles sèches d'un buisson ou parmi les branches mortes: il a hiberné. Tout transi par le froid, son corps est devenu cassant comme du verre. Après avoir jeûné longtemps, il recherche le suc des premières fleurs écloses.

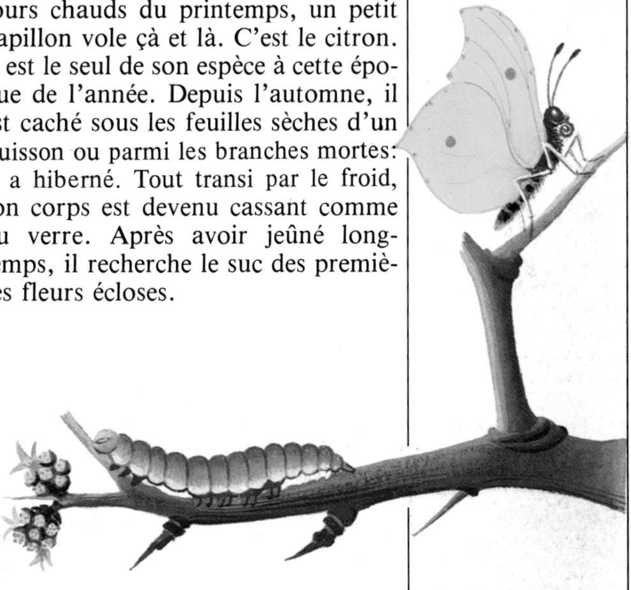

Autour des souches, des campanules mauves, des aigre-moines jaunes ont jailli en fusées, et des chanvres roses au parfum d'amande amère. Le papillon « citron » y tournoie, vert comme une feuille malade, vert comme un limon amer, il s'envole si je le suis, et surveille le moindre mouvement de mes mains.

Colette

Après tout ce blanc vient le vert,
Le printemps vient après l'hiver.

Après le grand froid le soleil.
Après la neige vient le nid

Après le noir vient le réveil,
L'histoire n'est jamais finie.

Après tout ce blanc vient le vert,
Le printemps vient après l'hiver,
Et après la pluie le beau temps.

Claude Roy

Le petit lexique de l'hiver

Avalanches

En montagne, la neige est capricieuse et souvent dangereuse. Lorsqu'elle est trop abondante ou quand arrive le redoux, elle se détache en lourds paquets qui peuvent rouler à la vitesse de 100 ou 200 km/h.

Bûche

Autrefois, lorsque les grands-pères suisses coupaient du bois pour l'hiver, ils gardaient une belle bûche encore garnie de branches pour la mettre dans la cheminée le soir de Noël. Cette bûche de Noël servait à s'éclairer pendant la plus longue nuit de l'année.
Aujourd'hui, la bûche de Noël est fourrée à la crème et se déguste traditionnellement lors du réveillon.

Cadeaux

En Allemagne, une légende raconte que, la nuit de Noël, les pauvres déposaient leurs sabots devant la porte de leur maison. Pendant la nuit, les plus riches les remplissaient de cadeaux.

Congères

Ce sont des amas de neige formés par le vent. Ils sont parfois si hauts qu'ils font de véritables barrières bloquant routes et sentiers.

Débâcle

Lorsque les fleuves pris par les glaces dégèlent, l'eau déborde du lit et inonde les berges. C'est la période de la débâcle. Quand il fait si froid que l'eau des fleuves gèle, c'est la période de l'embâcle.

Eternelles

Au-dessus de 4000 mètres d'altitude, la neige ne fond jamais car la température est toujours très basse, même en été. Ce sont les neiges éternelles.

Etoile du Berger

Elle accompagne toujours le soleil. Quand il se lève, c'est la première étoile à briller avant l'aurore. Quand il se couche, c'est la première étoile que l'on aperçoit dans le ciel. Cette étoile, c'est la planète Vénus.

Fenil

C'est la grange où l'on range le foin, nourriture d'hiver pour les animaux qui restent à l'étable jusqu'au printemps.

Gerçures

Quand il fait très froid, la peau de nos mains se fendille et sèche. Pour éviter les gerçures, mieux vaut les protéger avec de bonnes moufles.

Guirlandes

En pliant une feuille et en la découpant, on obtient, une fois la feuille dépliée, une jolie guirlande de Noël.

J'ai tendu les cordes
De clocher en clocher ;
Des guirlandes
De fenêtre en fenêtre ;
Des chaînes d'or
D'étoile à étoile,
Et je danse.

Arthur Rimbaud

Herminette

Les charpentiers travaillent avec cette petite hache recourbée comme le museau de l'hermine.

Iceberg

C'est un énorme morceau de glace qui s'est détaché d'un glacier polaire et dérive sur les mers froides. Les marins les redoutent car 1/8 seulement de l'iceberg sort de l'eau. L'énorme masse qui reste cachée est un risque pour les navires.

Igloo

Les Esquimaux n'y habitent pas toute l'année mais seulement pendant leurs lointaines expéditions de chasse. Avec son toit en coupole, l'igloo ressemble à une demi-sphère. Les blocs de glace sont empilés de l'intérieur et les interstices sont bouclés avec de la neige pour éviter les courants d'air.

Italie

Le jour de l'Epiphanie, les petits enfants italiens reçoivent des cadeaux apportés par une gentille sorcière appelée Befana.

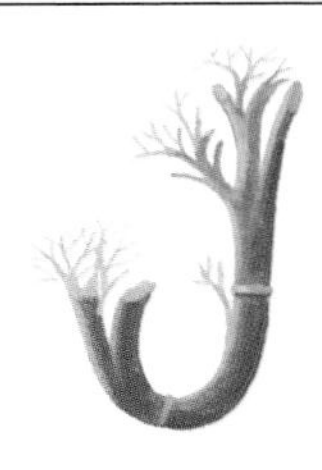

Janvier

C'était le mois du dieu grec Janus. Il avait un visage pour voir le présent, un autre pour regarder l'avenir. Comme ce mois qui voit derrière lui l'année finir et regarde vers l'année nouvelle.

Kilocalorie

C'est une énorme calorie. A elle seule, elle vaut 1000 calories. Les calories des aliments donnent de l'énergie et de la chaleur. En hiver, il nous faut beaucoup de calories pour résister au froid.

Luge

Blanche neige
en déluge
Tombe encore
sans cesser
Pour donner
à nos luges
Des chemins
bien glacés.

Joseph Bovet

Lunettes

Les Esquimaux protègent leurs yeux de la réverbération de la neige en portant de curieuses lunettes. Elles sont faites en bois, en os ou en ivoire, avec deux petites fentes pour ne laisser passer qu'un tout petit peu de lumière.

Mitaines

Ces gants ne sont pas aussi douillets que des moufles ; ils laissent dépasser la moitié des doigts.

Musette

Dans le français d'autrefois, *muser* voulait dire *jouer de la musique.* La musette est un très vieil instrument à vent qui ressemble à une petite cornemuse.

Il est né
le divin enfant
Jouez hautbois,
résonnez musette
Il est né
le divin enfant
Chantons tous
son avènement.

Nativité

C'est l'anniversaire de la naissance de Jésus célébrée à Noël.
On appelle *nativité* un tableau ou une sculpture représentant la nativité du Christ.

Névés

Ce sont des masses de neige gelée, en haute montagne, qui viennent peu à peu alimenter les glaciers.

Niverolle

Ou pinson des neiges. Elle ressemble à un moineau et vit entre 1000 et 3000 mètres d'altitude, même en hiver, ce qui est très rare pour un petit oiseau.

Nivôse

Dans le calendrier de la Révolution française, nivôse est le mois de la neige. Il commençait le 21 décembre et se terminait le 20 janvier.

Orange

Il y a peu de temps que les enfants reçoivent de beaux cadeaux pour Noël. Autrefois, on leur offrait quelques bonbons et une orange, fruit rare et délicieux.

Pluviôse

C'était le mois des pluies, dans le calendrier de la Révolution française. Il commençait le 20 janvier et se terminait le 19 février.

Pudding

En Angleterre, c'est le gâteau traditionnel de Noël. On le confectionne au moins un mois à l'avance avec de très nombreux ingrédients qui varient selon les familles.

Quatre-saisons

Nom donné aux légumes qui se récoltent à toutes les périodes de l'année : la laitue des quatre-saisons.

Raquettes

Les Canadiens, les Esquimaux, les forestiers de la montagne se déplacent souvent sur des raquettes pour ne pas s'enfoncer dans la neige. Ce sont de larges semelles tissées de lannières qui s'adaptent à la chaussure.

Réveillon

Au Moyen Age, le soir de Noël, une place à table était toujours réservée dans les châteaux aux voyageurs et aux pauvres.

Ski

Les Scandinaves utilisent depuis des siècles ces longs patins de bois pour se déplacer sur la neige. Mais il n'est apparu en Europe qu'au XVIIIe siècle. Les premières compétitions de descente eurent lieu en 1911 et de slalom, en 1922.

Traîneau

Avec un traîneau et son attelage de huit chiens, un Esquimau peut parcourir près de 150 km en 24 heures.
La troïka est un grand traîneau russe tiré par trois chevaux.

Au flanc
de la pente abrupte
Sur nos traîneaux
nous volons
Nous chantons
à pleine gorge
Glissant
vers le val profond.

Chanson tatare

Ubac

Quand le versant d'une montagne regarde vers le nord, il est souvent à l'ombre : c'est l'ubac. L'autre côté, qui est tourné vers le sud, est ensoleillé : c'est l'adret.

Ventôse

Le mois du vent, dans le calendrier de la Révolution française. Il commençait le 19 février et se terminait le 21 mars.

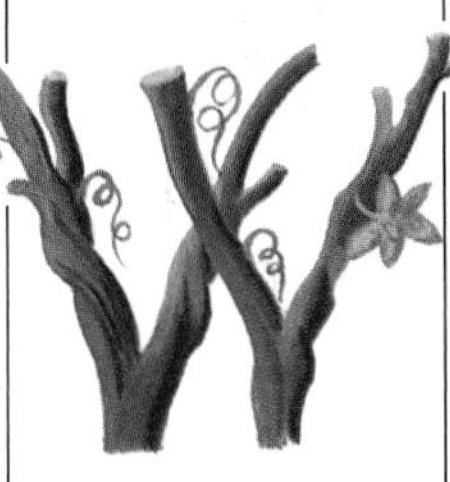

Wagon

L'hiver,
nous irons
dans un petit
wagon rose
Avec des coussins
bleus.
Nous serons bien...

Arthur Rimbaud

Xmas

Cela veut dire « Noël » en anglais, une abréviation pour *Christmas*.

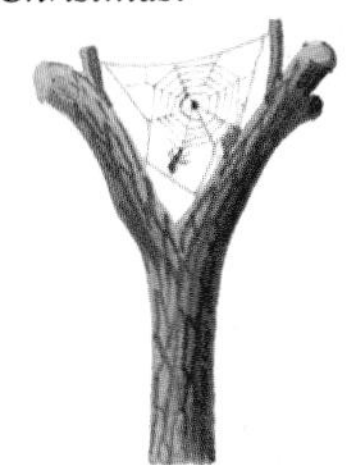

Yack ou yak

Sa toison est longue et douce pour le protéger des grands froids des montagnes du Tibet.

Zibeline

Ce petit animal ressemble à une martre. Elle vit en Sibérie et au Japon. Sa fourrure est très précieuse et très recherchée.

Biographies

Après avoir enseigné l'histoire et la géographie pendant quelques années, **Laurence Ottenheimer** a abandonné l'estrade de professeur pour travailler dans un journal pour enfants. À présent, elle s'occupe de collections de livres pour enfants aux Éditions Buissonnières.
En écrivant le livre de chacune des saisons, elle a parfois trouvé difficile de séparer l'année en quatre épisodes distincts, tant peut être floue la limite entre les saisons : le printemps faisant parfois irruption au cœur de l'hiver, ou l'été, certaines années, cédant à contrecœur la place à l'automne.
Ces quatre petits livres représentent l'année idéale qu'une citadine aimerait bien passer à la campagne.

Danièle Bour et sa famille ont quitté la grande ville il y a quelques années pour s'installer dans un tout petit village de Lorraine où chacun peut satisfaire ses goûts campagnards et son désir de solitude. Pour Danièle, l'hiver est une saison qui compte : dans la vie de son village qui connaît souvent la neige, mais aussi dans ses rêves et donc dans ses dessins. Les nuits froides et claires, les fines silhouettes des arbres, la neige où les animaux laissent leurs empreintes se retrouvent dans la plupart des livres qu'elle a déjà illustrés : *Un hiver dans la vie de Gros Ours*, *Oleg, le léopard des neiges*, *Pierrot ou les Secrets de la nuit*. Mais dans le *Livre de l'hiver*, ses dessins racontent l'histoire d'une saison à la fois pour nous faire rêver et pour nous apprendre à observer ce qu'elle aime.

Table des poèmes

courte paille, © Maurice Carême, 1975). **37.** Théophile Gautier (*Émaux et Camées,* 1852). Pierre Menanteau, Le Livre de l'hiver (*Bestiaire pour un enfant poète,* Coll. L'Oiseau de feu). **38.** Auguste Angelier, Les légers grêlons... » (*Le Chemin des saisons,* Hachette). **39.** Jean-Luc Moreau, Les Quatre Saisons (*L'Arbre perché,* Ed. Ouvrières, 1980). **40.** Michel Butor, Les Montagnes rocheuses (*Illustrations,* Gallimard, 1964). **41.** Théophile Gautier, Fantaisies d'hiver (*Émaux et Camées,* 1852). **42.** Princesse Shikishi (*Anthologie de la poésie japonaise classique,* © Unesco, 1971. **43.** Théophile Gautier, Dans le bassin des Tuileries (*Émaux et Camées,* 1852). Teitoku (*Anthologie de la poésie japonaise classique,* © Unesco, 1971). **45.** Pierre Menanteau, La Neige (*La Poèmeraie,* Ed. Bourrelier, 1963). **46.** Guy-Charles Cros, « C'est la neige... » (Poèmes et proses, Gallimard, 1944). Simone Ratel (*Chanson des quatre vents,* Ed. Bourrelier). **49.** Jean l'Anselme, Le Hérisson (*La Nouvelle Guirlande de Julie,* Ed. Ouvrières, 1976). **51.** « L'animal court... » (Complainte mortuaire à deux voix, *Les Pygmées de la forêt équatoriale,* Trad. Trilles, Ed. Bloud et Gay). Jean de La Fontaine, Le Chat, la Belette et le Petit Lapin (*Fables,* Livre VII, 1678). **52.** Tristan Klingsor, Les Noisettes (*Le Valet de cœur, Au Hameau,* Mercure de France). **53.** Pierre Menanteau, l'Ecureuil (*Bestiaire pour un enfant poète,* Coll. L'Oiseau de feu). **54.** Robert Desnos, Le Blaireau (*Chantefables et Chantefleurs,* Gründ, 1944). **55.** Henri Pallen, Vers Barbarenque (*Vagabondages* n° 4, Atelier Marcel Jullian, 1978). Charles Dobzynski, La Taupe (*La Nouvelle Guirlande de Julie,* Ed. Ouvrières, 1976). **58.** Jean de La Fontaine, La Cigale et la Fourni (*Fables,* Livre I, 1668). **60.** André Hardelet (*Poèmes de partout et de toujours,* Armand Colin, 1978). **61.** Patrice de La Tour du Pin, « Le clair cristal... » (Une Somme de poésie, Gallimard, 1981). Gilbert Saint-Pré (*Badaboum !,* Ed. Saint-Germain-des-Prés, 1977). **62.** Albert Glatigny, « Qu'ils sont jolis... ». **63.** Jacques Charpentreau, Les Moineaux (*La Ville enchantée,* L'Ecole, 1976). Théophile Gautier (*Le Capitaine fracasse,* 1863). **64.** Marc-Adolphe Guégan, Le Rouge-Gorge (*Trois petits tours et puis s'en vont,* Ed. Messein). **65.** Frédéric Kiesel, La Mésange (*La Nouvelle Guirlande de Julie,* Ed. Ouvrières, 1976). Raoul Bécousse, La Pie (*La Poésie comme elle s'écrit,* Ed. Ouvrières, 1979). **66.** Lanza del Vasto, L'Arbre (*Le Chiffre des choses,* Denoël). **67.** René Guy Cadou, Bientôt l'arbre (*Poésie, La Vie entière,* Seghers, 1978). **68.** Guy de Maupassant, Nuit de neige (*Des Vers,* Albin Michel). **72.** Jacques Prévert (*Histoires,* Gallimard, 1963). **76.** Charles Sylvestre (*Chroniques de vie à la cam-

pagne, Plon). **77.** Alphonse de Lamartine, Le Moulin de Milly (*Harmonies poétiques et religieuses,* 1830). **78.** Charles Frémine, « Coupez le gui... ». **79.** Paul Éluard, Mourir de ne pas mourir (*Capitale de la douleur,* Gallimard, 1926). **80.** Charles Dobzynski, L'oignon (*Fablier des fruits et légumes,* Ed. Saint-Germain-des-Prés, 1981). « Savez-vous planter les choux ?... » (*Le Livre d'or de la Chanson enfantine,* Ed. Ouvrières, 1976). **82.** Robert-Lucien Geeraert, « La terre se marie... » (*Des mots nature,* Unimuse, Tournai, 1980). **83.** Olivier Perrelet, « Neige... ». **84.** Marie Noël, « La rose de Noël... » (*Notes intimes,* Stock). **85.** Jean Orizet, *(Poèmes cueillis dans la forêt,* Ed. Saint-Germain-des-Prés, 1979). **86.** « Quand le printemps... » (Chant populaire d'Ecosse, Paroles françaises de Jean Ruault). **87.** Colette (*Histoires pour Bel Gazou,* Stock). **88.** Claude Roy, Une histoire à suivre (*Farandoles et fariboles,* La Guilde du Livre, Lausanne). **90.** Arthur Rimbaud, Phares (*Illuminations,* 1886). « Blanche neige... » (*Rondes et chansons,* Ed. Foetisch, Lausanne). **93.** « Au flanc de la montagne... » (Chanson tatare, Ed. Henry Lemoine). Arthur Rimbaud, Rêvé pour l'hiver (*Poésies,* 1870).

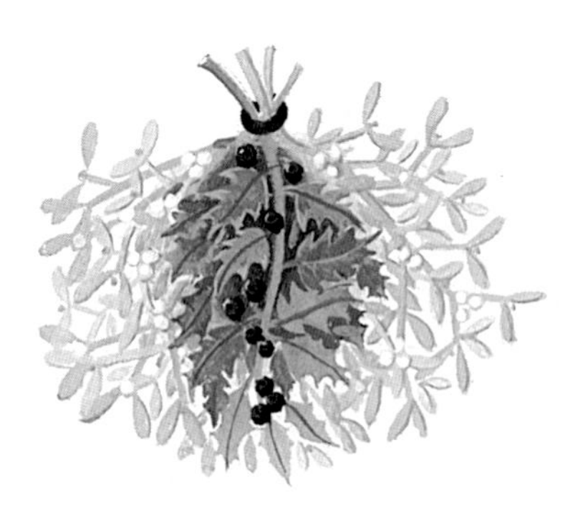

Nous remercions Messieurs les Auteurs et Éditeurs qui nous ont autorisés à reproduire textes ou fragments de textes dont ils gardent l'entier copyright (texte orignal ou traduction). Nous avons par ailleurs, en vain, recherché les héritiers ou éditeurs de certains auteurs. Leurs œuvres ne sont pas tombées dans le domaine public. Un compte leur est ouvert à nos éditions.